FÁBIO BANDEIRA DE MELLO

7 LIÇÕES DE NEGÓCIOS
DE LA CASA DE PAPEL

São Paulo
2018

Copyright © 2018 by Universo dos Livros

Todos os direitos reservados e protegidos pela Lei 9.610 de 19/02/1998. Nenhuma parte deste livro, sem autorização prévia por escrito da editora, poderá ser reproduzida ou transmitida sejam quais forem os meios empregados: eletrônicos, mecânicos, fotográficos, gravação ou quaisquer outros.

Diretor editorial: **Luis Matos**
Editora-chefe: **Marcia Batista**
Assistentes editoriais: **Letícia Nakamura e Raquel F. Abranches**
Preparação: **Marina Constantino**
Revisão: **Ricardo Franzin e Mariane Genaro**
Arte: **Aline Maria**
Capa: **Valdinei Gomes**

Dados Internacionais de Catalogação na Publicação (CIP)
Angélica Ilacqua CRB-8/7057

M476s

    Mello, Fábio Bandeira de

    7 lições de negócios de *La casa de papel* / Fábio Bandeira de Mello. — São Paulo : Universo dos Livros, 2018.

    160 p.

    ISBN: 978-85-503-0370-3

    1. Administração 2. Negócios 3. Sucesso 4. Estratégia 5. Liderança 6. La casa de papel (Seriado de televisão) I. Título

18-0911   CDD 658

Universo dos Livros Editora Ltda.
Rua do Bosque, 1589 – Bloco 2 – Conj. 603/606
CEP 01136-001 – Barra Funda – São Paulo/SP
Telefone/Fax: (11) 3392-3336
www.universodoslivros.com.br
e-mail: editor@universodoslivros.com.br
Siga-nos no Twitter: @univdoslivros

SUMÁRIO

Agradecimentos		5
Introdução		7
Lição 1	Liderança: uma casa cheia de líderes	21
Lição 2	Estratégia: muito além das táticas do Professor	41
Lição 3	Negociação: o jogo da persuasão para o resultado perfeito	71
Lição 4	Vendas: tudo sempre começa com uma grande venda	89
Lição 5	Inovação: o toque especial para surpreender todos	107
Lição 6	Comunicação: às vezes prevalece a lei do mais fraco	122
Lição 7	Marketing: por que amamos Dalí e macacões vermelhos	140
Epílogo		157
Referências bibliográficas		158

AGRADECIMENTOS

Todo o processo de construção deste material tem uma relação intrínseca com a minha jornada de experiência profissional, pessoal e, sobretudo, com o contexto de dezenas de histórias marcantes de empreendedores e personalidades em diferentes gerações, os quais tive a oportunidade de entrevistar, conversar ou simplesmente estudar. Seria mais justo, neste agradecimento, sem dúvida, citar todos aqueles que em algum momento – de forma direta ou indireta – contribuíram para que cada linha tenha sido escrita exatamente como foi desenvolvida. Entretanto, precisaria de algumas dezenas de páginas a mais somente para essa atividade.

Então, deixo registrado um agradecimento geral a todos que contribuíram com ensinamentos, conversas e indicações. E alguns agradecimentos especiais, como as minhas inspirações e mentores: meus pais (Aldo e Flávia) e irmãos (Luiza e Rafael), por apoio e suporte incondicional ao longo desse tempo. Aos amigos e ao mesmo tempo "professores de vida": Júnior Cruz, João Cleiton, Simone Donata, Franciny Rocha, Maria Luciana, Raquel Soares, Juliana Paulo, Rivany Malloni, André Luis, Janhavi Caran, Eduardo Moura (e todos do CDEM). Meus "professores profissionais e de academia" Denise Lemos, Carolina Barroca, Vinnie de Oliveira, Valdecir Becker, Zulmira Nóbrega, Fernando Firmino, Marcia Batista – que acreditou neste projeto –, e à equipe do Administradores.com – Leandro Vieira, Simão Mairins, Diogo Lins, Demetrius Cavalcante, Jorge Albuquerque e cia.

Se em *La casa de papel* os personagens Nairóbi, Tóquio, Berlim, Helsinque, Rio, Moscou, Denver e Oslo foram importantes para a execução do plano do Professor, para mim, todos vocês têm sido essenciais e inspiradores no meu crescimento como pessoa e como profissional.

INTRODUÇÃO

A SÉRIE

Na série *La casa de papel*, oito habilidosos ladrões invadem a Fábrica Nacional de Moneda y Timbre, equivalente espanhola da Casa da Moeda, com o ambicioso plano de realizar o maior roubo da história, que lhes renderia mais de 2 bilhões de euros. Para isso, porém, o grupo precisa lidar com as dezenas de reféns e com os agentes da força de elite da polícia, que farão de tudo para impedir o plano dos criminosos.

La casa de papel conseguiu um feito que produtores de qualquer outra série desejam, ou melhor, que os donos de qualquer negócio, independentemente do segmento e do local do planeta em que esteja, buscam alcançar: ela caiu no gosto popular. Produzida e veiculada pelo canal de televisão espanhol Antena 3 já com relativo sucesso, a série ganhou outros países e públicos graças à Netflix, a maior provedora global de filmes e séries de televisão via *streaming*. Com mais de 100 milhões de assinantes e um catálogo de fazer inveja (*ou de provocar deleite em quem assina*), a Netflix viu essa aquisição quebrar um recorde: se transformou na série de língua não inglesa mais assistida do mundo na plataforma.

Todo esse sucesso, naturalmente, repercutiu em outros meios. No Google é possível encontrar mais de 12,8 milhões de resultados relacionados à série (inclusive este livro). A máscara de Dalí usada pelos assaltantes virou fantasia de Carnaval no Brasil, tema de cartazes enormes em estádios na Arábia Saudita e quase foi proibida e censurada na Turquia, por se transformar em um "símbolo de rebeldia perigoso" em meio ao cenário de um possível golpe contra o governo do presidente Recep Tayyip Erdoğan.

A clássica canção "Bella Ciao", hino da resistência italiana contra o fascismo e o nazismo, entoada pelos protagonistas em momentos-chave da trama, ganhou versões em ritmo de funk no Brasil. A mais famosa é

"Só quer vrau", feita pelos MC MM e DJ RD. O sucesso fez com que ela tivesse mais de 140 milhões de visualizações no YouTube em menos de trinta dias e passasse a ser tocada em festas no mundo todo, de Dubai a Tóquio, recebendo comentários positivos até dos roteiristas e dos atores da trama.

Para os fãs ou admiradores de *La casa de papel*, a notícia sobre a continuidade da série pela Netflix encheu olhos de emoção e corações de muita expectativa. Embora seus criadores indicassem inicialmente que a produção teria as mesmas duas partes exibidas na televisão espanhola, seu sucesso em vários países fez com que os planos mudassem. Anunciada em abril de 2018, a continuação tende a ganhar uma nova dinâmica com ainda mais desdobramentos entre os personagens.

Mas será que eles conseguirão completar o assalto com sucesso? Será que todos foram presos? Alguém morreu nessa operação? Se você assistiu às primeiras duas partes (disponíveis na Netflix), com certeza já sabe as respostas – e é natural que se sinta ansioso pelo que ainda virá. Caso tenha resolvido iniciar a leitura do livro mesmo sem ter visto todos os episódios, garantimos que você conseguirá ler o livro sem ser surpreendido por *spoilers* (pois eles estão assinalados!).

O sucesso inesperado de *La casa de papel* é intrigante e traz algumas reflexões. O que tornou a série tão admirada e aclamada? Quais componentes a transformaram em um fenômeno de tamanha amplitude? A explicação pode residir em vários fatores.

O primeiro está na qualidade da produção, embora o investimento tenha sido cerca de quatro vezes menor do que o normal para uma série americana de grande projeção. O ritmo acelerado da narrativa, conduzida por um ótimo trabalho cinematográfico – vide tomadas específicas, iluminação e trilha sonora –, é decisivo para que o roteiro, repleto de tensão, reviravoltas, suspense e até momentos de romance, consiga fixar a atenção do público.

Nas palavras de Sonia Martínez, diretora de ficção da Antena 3, outro fator que colaborou muito foi a própria mudança de hábito dos espectadores de séries. Diferentemente do que acontece na televisão, na Netflix o conteúdo não sofre com cortes para anúncios ou intervalos de uma semana para a veiculação do próximo episódio. "O ritmo que a série tem favorece que você a consuma como quiser, com toda a atenção e de forma muito individualista. É uma série que, no seu DNA, tem o formato de vídeo sob demanda. Um assalto no qual as horas vão sendo marcadas e você tem a sensação de que precisa consumir mais é o produto ideal para se ver assim", declarou em entrevista ao *El País*.

Álex Pina, criador de *La casa de papel*, revela que a identificação das pessoas com o problema econômico que atinge vários países é outro fator que contribui para a conexão. "Esses senhores que assaltam a casa da moeda têm um componente quase antissistema que abarca um pouco da decepção com os governos, os bancos centrais… um cansaço que faz com que esses Robin Hood se convertam para muitos em estandartes dessa atmosfera de decepção", revelou também ao *El País*.

E vou pedir licença nessas próximas linhas para destrinchar outro motivo, na minha concepção o maior, para o sucesso de *La casa de papel*. Como Pina destacou, existe a ligação que nós, espectadores, passamos a ter com os personagens da série. Começamos a torcer pelos assaltantes, passamos a vê-los como mocinhos, encaramos as motivações para o assalto até como aceitáveis. E toda essa conexão pode ser explicada por um componente presente em muitas histórias desde o início das civilizações: a jornada do herói. Algo que, inclusive, parece ter sido decifrado pelo personagem do Professor ainda no primeiro episódio, em um dos seus primeiros discursos na sala de aula do casarão de preparação ao assalto: "Vamos ser a porra dos heróis dessa gente".

Ao analisarmos *La casa de papel* nesse contexto, os *flashbacks* e os detalhes sobre o passado de cada um dos integrantes do grupo fazem com que todos os personagens, apesar de serem "criminosos" com personalidades bem distintas, sejam encarados como heróis no decorrer de suas jornadas, enfrentando suas respectivas provações.

Peguemos o exemplo de uma das personagens mais queridas pelo público: Nairóbi. Ela decide assaltar o banco motivada pelo desejo de obter dinheiro para recuperar seu filho pequeno.

E por que a enxergamos no papel de heroína? Por causa da empatia que sentimos por esse lado mais humano, embora envolvido por uma conduta (o assalto) que ultrapassa certos princípios morais e éticos. E Nairóbi não está só, pois encontramos em vários personagens essa aparente dualidade. Rio demonstra toda a sua sensibilidade ao tratar os prisioneiros da forma mais humana possível, ainda que muitas vezes tenha que apontar a arma na direção deles. Já Moscou tem como sua principal motivação impedir que seu filho Denver se meta em encrencas maiores, mostrando o verdadeiro significado da preocupação de um pai. O próprio Denver, mesmo aparentando ser o *bad boy* e o menos inteligente, cria um plano para evitar a morte de uma das reféns.

Ou seja, em praticamente todos os personagens por quem passamos a torcer na série, podemos encontrar os elementos e arquétipos que fazem parte da construção narrativa da jornada do herói.

UM ASSALTO E O MUNDO DOS NEGÓCIOS

Quando o Professor entrou na sala, lá estavam todos, sentados para mais um dia de aula: Tóquio, Rio, Berlim, Nairóbi, Denver, Moscou, Oslo, Helsinque. Nenhum deles piscava. Parados, assistiam atentamente aos ensinamentos e às estratégias elaboradas e passadas repetidamente pelo Professor. Afinal, nada poderia sair errado, todos os detalhes eram muito importantes para o objetivo que os unia: invadir a Fábrica Nacional de Moneda y Timbre e realizar o maior assalto da história.

Foram cinco meses de reclusão, de preparação e de treinamento integral do grupo todo. Seriam muitos desafios: eles teriam que se infiltrar na casa da moeda e, em onze dias de confinamento, imprimir 2,4 bilhões de euros e lidar com 67 reféns e as forças especiais da polícia espanhola. Mas o que tudo isso tem a ver com o mundo dos negócios? Será que um assalto pode ensinar algo para nossa carreira, para o desenvolvimento de uma empresa? *Qualquer* assalto certamente não, mas o descrito em *La casa de papel*, com todas as nuances apresentadas pela série, é uma fonte riquíssima de conceitos e lições que têm relação direta com o nosso dia a dia.

De certa forma, pela condução narrativa, o Professor nos convida a puxar uma cadeira, sentar ao lado da equipe montada por ele, abrir o nosso caderninho de anotações e aprender boas lições. Liderança, estratégia, negociação, comunicação, vendas, marketing, inovação são só alguns exemplos. A meu ver, isso é apenas a ponta do iceberg. Todos os personagens acabam sendo fontes riquíssimas para uma imersão em detalhes como inteligência emocional, criatividade, alta performance, resiliência e outros pontos que serão detalhados nos próximos capítulos.

O objetivo aqui é uma imersão na qual o contexto da série é apenas o ponto de partida para nos aprofundarmos em situações que podem melhorar a sua carreira e seus negócios. O objetivo do livro é instigar o leitor a colocar em prática várias das técnicas vividas pelo Professor, Nairóbi, Rio e companhia. Mas, por favor, não as aplique para roubar um banco nem a Casa da Moeda do Brasil!

A QUEM SE DESTINA ESTE LIVRO?

Este livro se destina ao profissional que, independentemente da área de atuação, busca sempre estar atualizado e se aperfeiçoar. Acredito muito na premissa de que para obter os melhores resultados profissionais jamais devemos parar de estudar. E não estou sozinho nesse pensamento; hoje, esse comportamento é cada vez mais exigido pelo mercado, mas recrutadores têm dificuldade para encontrar profissionais com esse perfil. Um estudo global do ManpowerGroup, realizado com mais de 41.700 empregadores em 42 países, identificou que 38% têm dificuldades em achar perfis de talento e de alto rendimento. Para 54% deles, isso impacta diretamente na sua capacidade de atender às necessidades dos clientes (Valor Econômico, 2012).

Alta performance tem a ver com essa vontade de aprender o tempo todo, não só apenas de tempos em tempos. Naturalmente, se não praticarmos constantemente o que aprendemos há cinco ou dez anos, perdemos o rendimento em sua execução (*minhas habilidades em HTML e até no vôlei que o digam*).

    Esquecer-se de algo significa que não o aprendemos de verdade? Não! Mas, cognitivamente, o fato de não estimularmos mais determinadas ações faz com que diversos aspectos e habilidades realmente adormeçam (alguns até são completamente esquecidos mesmo). Se você trabalha no mundo digital, essa necessidade cognitiva de aprendizado constante é ainda mais acentuada. Um profissional de marketing que desenvolve campanhas no Facebook ou Google, por exemplo, só nos últimos dois anos teve que se adaptar a pelo menos dez grandes mudanças e atualizações dessas tecnologias para ser mais assertivo no Retorno sobre Investimento (ROI). E essa adaptação rápida para se manter em alta performance, sem perder em resultado, com certeza vem de estudo e preparação. Seja o médico que precisa aperfeiçoar sua capacidade de liderar equipes e melhorar a adaptabilidade diante de situações extremas; o vendedor que necessita aprimorar seu poder de negociação e comunicação; o executivo e administrador que deseja desenvolver estratégias com mais retorno; o atleta que busca aumentar o próprio rendimento; o publicitário que quer mais ações criativas que fujam do senso comum; o universitário que quer desenvolver suas capacidades cognitivas e profissionais ou simplesmente os fãs inveterados que consomem tudo sobre *La casa de papel*: independentemente da área em que esteja, se você se encaixa no perfil do "apreendedor", abrace este livro (*não literalmente*) e abra-se a todas as ideias propostas aqui. Sem dúvida, a série – e o recorte proposto neste livro – apresenta lições para todos que buscam desenvolvimento.

    Se você não assistiu à série ou ainda não chegou ao seu fim, não se preocupe. Quando for preciso contextualizar pontos importantes e mais avançados da série, sempre haverá a indicação de *spoiler*. Assim, ficará a seu critério voltar àquela lição depois de assistir ao episódio indicado ou continuar a leitura normalmente (neste caso, você já assistirá ao capítulo com outra ótica).

O QUE TEREMOS NO LIVRO?

Mas o que será explorado nas próximas páginas? Se você já folheou o sumário deve ter reparado que ele é dividido em sete grandes áreas: liderança, estratégia, negociação, vendas, inovação, comunicação e marketing.

Poderiam ser outras? Sim, claro. Talvez houvesse capítulos destinados especificamente a empreendedorismo, finanças, gestão de qualidade, logística, política, segurança pública e até análise musical. Exploraríamos, por exemplo, os aspectos por trás da composição "Bella Ciao", e, claro, também da versão de sucesso "Só quer vrau". Mas recorte é recorte. E, ao definir uma linha com minha editora Marcia Batista, chegamos aos sete tópicos abordados principalmente por dialogarem com qualquer área profissional.

Há tantos aprendizados sobre administração e negócios nos episódios de *La casa de papel* que grandes autores da área ficariam orgulhosos ao assistir à série. No decorrer da história, há menção, mesmo que às vezes de maneira indireta, aos princípios de Peter Drucker, Daniel Goleman, Philip Kotler, Robert Cialdini, Henry Mintzberg, Michael Porter e David Ulrich, por exemplo.

Mas peço licença a esses mestres que sempre embasaram meus estudos – e já tive a alegria de ter contato direto com a maioria – para colocar as minhas próprias percepções, baseadas em mais de uma década de vivência no mundo corporativo e no aprendizado advindo de milhares de entrevistas já conduzidas, mas também como pesquisador e professor de pós-graduação e um aficionado por séries e filmes. Sim, claro, toda vez que precisar, vamos recorrer a eles também.

No primeiro capítulo falaremos de liderança. É muito provável que a palavra remeta diretamente ao personagem do Professor. E, de fato, ele possui características de um líder nato e visionário. Mas não é somente este personagem que ocupa esse espaço durante a série. Há vários outros líderes com perfis diferentes que mostram nuances distintas dessa capacidade. Dos mais evidentes, Berlim tem um estilo de liderança coercitivo (um tipo muito comum nas empresas). Já a investigadora Raquel lidera com um perfil mais democrático, apesar da instabilidade emocional. Nairóbi é outra líder de destaque; com o perfil de liderança marcadora de ritmo, acaba sendo de alto desempenho.

Com tantos perfis diferentes, qual é o ideal? Quais são as características que tornam alguém um verdadeiro líder? Qual é o papel de uma pessoa com essa atribuição? Antes de iniciarmos o capítulo, já posso adiantar alguns pontos: um líder deve conseguir formar uma boa equipe, achar a motivação dos profissionais e ter controle e inteligência emocional para lidar com situações de muito estresse e problemáticas.

No segundo capítulo, no campo da estratégia, temos um tabuleiro com muitas peças e jogadas a serem abordadas. A propósito, o tempo todo a própria série faz referências ao xadrez, jogo símbolo desta área, seja na fala do Professor, seja na narração em *off* de Tóquio ou em comentários dos assaltantes ou dos policiais. A intenção é sempre a mesma: mostrar que, às vezes, para ganhar a partida é preciso sacrificar algumas peças.

Na série, quando o assunto é estratégia, temos algo notável, declarado e evidenciado. O Professor passou a vida inteira pensando em como faria o assalto à casa da moeda da Espanha. Concebeu um plano nos mínimos detalhes que produz ótimas saídas quando ocorrem situações de risco durante o ato. Como resultado do planejamento prévio, cada integrante possui um papel bem definido para a execução do plano, com cada detalhe estudiosamente preparado e orientado.

Já no terceiro capítulo entraremos em uma das vertentes mais instigantes da série: negociação. E aposto que você pensou novamente no Professor e, dessa vez, também na inspetora Raquel Murillo, afinal, os diálogos dos dois ao telefone acabam sendo, por si só, uma aula de negociação. Todos os detalhes merecem ser analisados e muitos aspectos podem ser aplicados no dia a dia de qualquer profissional.

Mas, se ampliarmos um pouco a visão, a verdade é que todos os personagens, em algum momento, negociam. Todos. Assim como você faz isso em várias circunstâncias. Sim, isso mesmo. Negociação não acontece somente no trato de uma proposta comercial ou na busca por mais clientes. Há negociação também com parceiros amorosos, amigos, chefe, investidores… Afinal, na negociação, o que desejamos é convencer alguém daquilo que queremos, e essa vontade está presente em diversas situações da nossa vida. Nesses momentos entra em jogo um fator que muitos acreditam ser uma rara habilidade natural: a persuasão. Mas será que é mesmo uma habilidade destinada a poucos? Na negociação, qual é a hora de ceder? É importante conhecer quem está do outro lado? Muitas e muitas respostas – e até um minitreinamento – o aguardam no terceiro capítulo.

Já no quarto capítulo o assunto abordado será vendas. Você se lembra daquele personagem da série que está sempre vendendo? Não? Como assim?! O próprio ato de convencer oito pessoas a realizar um assalto é em si uma forma de vender! Instigar a opinião pública e a imprensa a ficar ao lado dos assaltantes, também. O fiel escudeiro e subinspetor Ángel Rubio sempre busca "vender o seu peixe" diante da inspetora Raquel. O importante é você já ir limpando da mente a ideia de que vendas estão apenas relacionadas à comercialização de um produto. Comprar uma ideia pode ser mais lucrativo do que se imagina. Mas que características um bom vendedor precisa ter? Ou, voltando um pouco, como se tornar um vendedor?

Inovação é a lição do quinto capítulo. E o seu princípio fundamental reside na criatividade. A criatividade surpreende, vende, incita, renova, resolve. Você encontrará nesta parte conceitos de *design thinking*, de transformação disruptiva, para surpreender sempre. E vamos mais uma vez quebrar uma barreira do senso comum: inovar não cabe apenas a empresas de tecnologia como IBM, Apple etc. Existem empresas que inauguram novas formas de se relacionar e que aplicam esse tipo de postura na cultura corporativa. Elas são diferenciadas, pois, além do produto que oferecem, agregam ideias e práticas inovadoras que fogem ao senso comum e estimulam uma nova modalidade de comportamento empresarial. Ser diferente realmente faz a diferença. E foi assim no roubo em *La casa de papel*.

O sexto capítulo aborda o tema comunicação. A intenção é mergulhar em um dos trunfos mais importantes tanto para os assaltantes como para a polícia: a imprensa. Nenhum dos dois lados desejava que um massacre ou eventuais erros fossem noticiados. Todos conheciam a força que a imprensa teria na história – e não é à toa que ela é amplamente utilizada pela polícia e pelos assaltantes para ganhar o público ou transmitir informações que desestabilizariam o outro lado.

E o papel fundamental da imprensa não existe somente na série. Você conhece a expressão "quarto poder"? Ela é utilizada para destacar o poder de influência dos veículos de comunicação na sociedade, poder este que complementaria os três poderes do Estado (Legislativo, Executivo e Judiciário). Então, como podemos nos relacionar com os veículos de comunicação para favorecer nossos negócios? Você já ouviu falar em assessoria de imprensa, *press kit, media training, release*? Vamos desbravar esses temas por aqui, mas o enfoque não será apenas esse. A comunicação é algo ainda mais profundo, que abrange a construção do discurso em todos os meios de se comunicar, a utilização do digital para ampliar o seu canal de divulgação, as ferramentas que podem favorecer esse uso e outras infinitas possibilidades. Veremos algumas delas no livro.

No sétimo capítulo, sairemos do universo de *La casa de papel* para olhar de cima outros aspectos, como as estratégias de marketing utilizadas para que a série tenha obtido tamanho sucesso. Um olhar mais atento certamente pôde notar, em diversos episódios, o aparecimento da cerveja espanhola Estrella Galicia. Não se trata de apreço especial do diretor pela cerveja, mas, sim, de uma estratégia de marketing bem montada.

Agora que você já tem uma ideia do que nos espera nas sete lições de negócios de *La casa de papel,* é só aproveitar e navegar pelos diversos horizontes e caminhos propostos. Ou melhor, se unir ao Professor, Tóquio, Rio, Berlim, Nairóbi, Denver, Moscou, Oslo e Helsinque nesta caminhada cujo objetivo não é o roubo de um banco, mas a avaliação de um leque de possibilidades e conhecimentos. E tem até uma colher de chá no final de cada lição. No fim de cada capítulo há um resumo, para que, toda vez que precisar, você possa reler de forma mais rápida o conceito central sobre o tema e engatar alguma ideia.

QUEM SERIA QUEM EM UMA EMPRESA?

Se cada personagem de *La casa de papel* fosse um profissional do mundo corporativo, quem seria cada um dentro de uma organização? Em qualquer empresa é possível encontrar diversos estilos e perfis de profissionais. Há os mais liberais, os autoritários, os que gostam de construir laços próximos, os fofoqueiros, os cumpridores de funções, os questionadores... Essas diferenças decorrem dos diferentes níveis de formação, das diversas personalidades e dos vários estilos de vida presentes no quadro de funcionários da organização. Dependendo das tarefas realizadas, da necessidade atual da organização e do ritmo de serviço, um estilo pode se encaixar melhor do que outro. Talvez se Nairóbi fosse designada para abrir o buraco de fuga e a Moscou coubesse a função de reproduzir o dinheiro, ambos não tivessem o mesmo desempenho. Mas se Nairóbi, Moscou e companhia trabalhassem no mesmo escritório que você? Quem eles seriam?

O **Professor**, o grande mentor de todo o assalto, sem dúvida seria o líder visionário e estrategista da organização, capaz de ganhar a admiração e o respeito da equipe, treinar bem o grupo e fazer com que todos executem seu plano de ação.

Berlim é o braço direito do Professor e lidera a equipe que invade a Fábrica Nacional de Moneda y Timbre. Na vida real seria aquele chefe com quem é difícil conversar e que não pensa muito nos profissionais, mas apenas e exclusivamente na meta e no resultado. Com isso, lidera pelo medo e gera insatisfação nos membros da equipe. A soberba, o sarcasmo e a arrogância são algumas de suas características, que podem ser prejudiciais em vários momentos.

Rio é um gênio da informática, tendo sido convidado pelo Professor para cuidar de todo esse aspecto do assalto. Na vida real, tem o perfil típico da geração Y. Um jovem talento, antenado e com bastante potencial, mas que ainda não sabe lidar com os pormenores e não desenvolveu um controle emocional apurado para momentos de crise.

Tóquio, uma das personagens mais explosivas da série, também tem muitas características da geração Y. Possui muito talento para executar atividades com velocidade e eficiência, no entanto, sua impulsividade e desprezo às hierarquias minam a possibilidade de crescimento e a ocupação de cargos de direção. É a típica funcionária que faz um bom trabalho no curto prazo, mas que pode se tornar desinteressada com o tempo. Normalmente, não fica um longo período em uma mesma empresa e, por conta disso, nem sempre vale a pena investir em seu treinamento.

Moscou foi um grande minerador e é o responsável pela fuga do grupo da casa da moeda espanhola. Seria aquele profissional da velha guarda, que está mais perto de se aposentar. Sempre tem uma boa história e valoriza muito o relacionamento. Constrói laços fraternais, coloca a necessidade das pessoas em primeiro lugar. Como líder, seria capaz de construir uma equipe voltada aos relacionamentos, com boa facilidade de resolver conflitos internos.

Nairóbi é a especialista em falsificação e encarregada da impressão do dinheiro. No ambiente profissional é o sonho de consumo de qualquer empresa. Respeita os colegas e os prazos, mantém um alto padrão na qualidade das suas entregas e, por isso, conquista a confiança. Tem pensamento crítico afiado, é apaixonada pelo que faz, acredita na empresa e traz ótimos resultados.

Helsinque é um ex-combatente de guerra que segue todas as ordens de seus chefes: o Professor e Berlim. No mundo corporativo seria outro profissional muito desejado pelas empresas. Apesar de não ser criativo, é o exímio executor de tarefas, essencial para o andamento de diversas etapas.

Oslo, assim como Helsinque, é encarregado da força bruta dentro da Fábrica Nacional de Moneda y Timbre. Segue o mesmo estilo: um profissional executor de tarefas. No entanto, tem uma personalidade introspectiva, o que faz com que não se aproxime de seus companheiros de equipe, muitas vezes por não se sentir confortável ao interagir com os demais.

Denver também entra para o time dos "explosivos" e emocionalmente instáveis. É o profissional que ainda não encontrou o seu caminho ou mesmo sua vocação de carreira. Sua instabilidade e falta de ambição fazem com que aceite o que quer que a vida lhe ofereça, o trabalho que for, sem vislumbrar o futuro da sua carreira.

Raquel é a inspetora encarregada de negociar com os assaltantes em busca de um desfecho satisfatório. Na vida real também seria uma líder de aparente pulso firme, mas com dificuldades. Entre suas virtudes está a capacidade de comunicação e de conseguir a cooperação da equipe.

Ángel é o subinspetor e fiel escudeiro de Raquel. Tenta ajudá-la de todas as formas possíveis e, em determinado momento da série, é um elemento-chave para a solução do roubo. É aquele profissional que ocupa um cargo estratégico de gerência na direção na empresa. Executa bem as atividades e, por isso, tem a confiança do líder.

Mónica Gaztambide é a personagem que passa por mais altos e baixos na trama: gravidez, um tiro na perna, paixão por um dos sequestradores e outros. No ambiente empresarial, seria aquele profissional típico, competente, mas sem muitas ambições. Reveza dias de pressão no trabalho com dias mais tranquilos e leves.

Arturo é o diretor da Fábrica Nacional de Moneda y Timbre e tenta, a todo custo, fugir do local. No mundo dos negócios, seria o líder ou profissional com pensamento pessimista. Possui conhecimento técnico e até poderia trazer grandes resultados, mas, por conta do seu perfil, tende a colocar as pessoas ao seu redor para baixo com suas queixas constantes, vendo o pior cenário em tudo. Isso faz com que a motivação da equipe seja baixa.

Alison Parker é a refém mais importante dos criminosos por ser filha do embaixador do Reino Unido. É aluna de uma escola particular e tem um perfil de tímida e estudiosa. Em uma empresa seria a estagiária, a recém-contratada ainda assustada com a demanda de seus superiores, mas com sede e fome de aprender para surpreender positivamente no desempenho das atividades.

E agora que você está ciente do fenômeno *La casa de papel* e até mesmo das possíveis motivações que o fizeram abrir este livro, é hora de apresentar meu universo particular de considerações sobre os ensinamentos da série que, para mim, estão diretamente ligados ao contexto do mundo dos negócios.

Bem-vindo a uma imersão em *insights*, estratégias e argumentos inspirados na série, mas que você poderá colocar em prática na sua rotina. Hora de desvendar as sete lições!

1. LIDERANÇA

"A vida nem sempre dá um caminho fácil."

UMA CASA CHEIA DE LÍDERES

Nós, humanos, ocupamos o topo da cadeia alimentar. Perduramos após a extinção dos nossos primos do passado e nos diferenciamos das demais espécies porque, entre outros fatores, ao longo de milênios de evolução, desenvolvemos a linguagem, o pensamento abstrato, o controle sobre os sentimentos e (em tese) a capacidade de resolver problemas complexos. São fatores que nos permitiram construir pirâmides, navegar, formar civilizações, voar, mandar pessoas para a Lua (*e um Tesla para Marte*) e também criar o rádio, a televisão, os programas de auditório (*ninguém é perfeito!*), o celular, o iPhone e o assistente virtual do Google *(que até marca hora no cabeleireiro para nós!).*

A verdade é que somos seres assimiladores. Só prosperamos porque aprendemos continuamente e transmitimos esses conhecimentos de geração em geração. John Napier, o escocês que inventou uma maquininha chamada Ossos de Napier para fazer contas sem precisar decorar a tabuada, foi um gênio de sua era, mas não fazia ideia do que seria a máquina de tabulação, criada quase trezentos anos depois por Herman Hollerith. Essa máquina usava cartões perfurados para processar dados a uma velocidade extraordinária para a época, mas com a rapidez de uma lesma em relação ao tempo que meu primeiro computadorzinho com Windows 95 levava para processar e abrir um arquivo em um disquete. Disquete? Para os que não chegaram a conviver com ele, o disquete era um disco (que, na verdade, era quadrado) cuja versão mais potente era capaz de armazenar dois ou três vídeos desses que você tem aí aos montes no celular.

A propósito, você só está checando essas mensagens aí no WhatsApp (*preste atenção na leitura, ora!*) porque, um dia, um escocês preguiçoso resolveu dar um jeito de não precisar aprender a tabuada. A máquina dele desencadeou uma série de outras ideias e invenções que nos trouxeram até aqui. E, finalmente, chegamos ao ponto que interessa neste livro: é desse mesmo modo que se constrói um líder. Se você já estava com as veias saltando de raiva por ter de ler esses pequenos dois parágrafos temperados na maionese, que não diziam nada sobre o tema do capítulo, inspire pelo nariz, expire pela boca, enxugue o suor e retome o foco, porque a caminhada começa agora. Na jornada para se tornar um líder de verdade, você vai precisar dedicar um bom tempo a coisas que, a princípio, parecem não ter nada a ver com o assunto. Ao longo deste capítulo, você perceberá que, para um bom líder, nenhuma informação é inútil. Em algum momento, tudo o que foi agregado pode vir a ser necessário.

Você já deve ter ouvido dizer que há pessoas que nascem para liderar, uma máxima que talvez se aplique a filhos de reis, herdeiros de grandes fortunas e afins. Porém, se você não se encaixa em nenhuma dessas categorias, esqueça essa premissa e adote uma nova referência: o Professor, esse ser misterioso que certamente não deu muita bola para essa história de predestinado na hora de liderar a equipe de criminosos responsável pelo maior e mais ousado roubo da história. Você lembra o que o Professor respondeu quando lhe perguntaram quanto tempo levou planejando tudo? Metade da vida. E, às vezes, isso ainda é pouco para se tornar um líder.

Voltando às nossas metáforas evolutivas, vejamos bem: os cientistas ainda não chegaram a um consenso sobre qual foi o ponto de partida do processo que culminou na formação do *Homo sapiens*, mas, para fins didáticos, vamos considerar o *Australopithecus* como nosso ancestral mais antigo, nosso tatatatatataravô de 2,9 milhões de anos. Agora, imagine que a linha do tempo entre ele e o homem moderno equivale à sua jornada para a liderança: o ponto de partida é um *Australopithecus*; o destino, o *Homo sapiens*. Imaginou? Pois bem: é um caminho longo, né? Mas você tem uma vantagem: pode decidir seu próprio caminho e dar à caminhada a velocidade que quiser.

Reis e detentores de grandes fortunas preparam os filhos para liderar desde os primeiros anos de vida. Cada um do seu jeito, é verdade. E, na maioria dos casos, com métodos que é melhor não serem tomados como exemplo. Mas o triunfo na sucessão de monarquias e oligarquias financeiras mostra que a preparação de longo prazo é um fator fundamental.

Guardadas as devidas particularidades e contextos, a iniciativa de despertar nos pequenos o interesse pela liderança e, mais tarde, o comportamento de líder facilitará muito o processo se, lá na frente, eles resolverem liderar de fato. Modelos positivos e uma criação que incentive aspectos como autonomia, proatividade e sociabilidade na infância fortalecem, primeiramente, a formação das crianças como indivíduos e, na sequência, enquanto agentes de iniciativa e tomadores de decisões.

A vida anterior ao assalto do Professor é um tanto nebulosa. Conhecemos sua motivação, mas não muito sobre como estruturou seu negócio de 2,4 bilhões de euros (lembre-se de que este livro foi escrito antes do lançamento da terceira parte da série). De toda maneira, podemos afirmar que boa parte de sua vida pregressa foi extremamente focada em planejar, executar, escolher as pessoas, treiná-las e liderá-las na hora da ação. Mas, antes disso, veio o como. Como planejar? Como executar? Como recrutar? Como treinar? Como liderar?

As referências que o Professor deixa ao longo da série, como citações de filósofos e o uso de histórias clássicas para exemplificar suas orientações, deixam muito claro que houve um preparo muito consistente, sólido e, principalmente, diversificado. Este é um ponto-chave para responder à pergunta "O que faz de alguém um líder?" e tem a ver com o que falei há pouco sobre aprender coisas que aparentemente não são sobre liderança. Pois bem. Escritores, professores e pesquisadores, como eu, podem oferecer algumas recomendações. Estude-as, mas não apenas elas. Leia bons livros sobre liderança, mas faça outras leituras. Aprecie boa música (*lembrando que a decisão sobre o que é bom ou ruim é sua e não minha*), assista a filmes sobre temas de seu interesse, converse com as pessoas nas ruas, abra sua geladeira e tente cozinhar qualquer coisa com o que você encontrar lá. Enfim, fuja da bolha em que muitos de nós costumam entrar quando resolvem se enveredar na trilha rumo à liderança. A resposta que exigirão do seu "eu CEO" tem muito mais chances de sair de uma cena de *La casa de papel* do que de um livro de John C. Maxwell. Ou você acha que foi lendo um desses calhamaços acadêmicos que o Professor se inspirou para colocar um cavalo de Troia no Q.G. da polícia?

O Professor foi uma criança doente. Um adolescente doente. Na metade da vida que não passou planejando o assalto à casa da moeda espanhola estava enfermo, preso a camas de hospitais. Durante esse período, não tinha muito mais para fazer além de ler, ler, ler e ouvir as histórias contadas pelo pai, uma figura inspiradora em sua vida e fundamental para as decisões que tomou posteriormente. A revelação dessa etapa de sua jornada mostra que, na verdade, não foram apenas 15 ou 20 anos dedicados ao plano. Foi uma vida inteira. E há uma teoria bem ultrapassada (*como assim?*) que pode nos ajudar a compreender como a liderança foi desenvolvida ao longo de diferentes etapas na história do Professor.

Falo da Teoria dos Traços de Liderança (*não se revire nem me xingue antes de ler o que escrevo mais à frente, ok?*). Essa corrente reforçava a ideia de que líderes eram natos e que o eram porque, em seu DNA, traziam consigo as seguintes habilidades: ambição e energia, desejo de liderar, honestidade e integridade, autoconfiança, inteligência e habilidade para dominar novos conhecimentos (mesmo sem instrução formal).

Ralph Stogdill, um mestre da liderança pouco lembrado hoje em dia, mas que contribuiu de maneira fantástica para o que sabemos hoje sobre o assunto, pôs abaixo essa visão do líder nato. Mas os traços (que não foram definidos por lunáticos e são frutos de pesquisas sérias, embora já superadas) ainda nos servem na hora de tentar identificar um líder, pois, mesmo que não sejam habilidades natas, ainda são frequentes na maioria das pessoas que ocupam um papel de liderança. Mas atenção: essas habilidades, tomadas individualmente, não garantem que o portador seja ou esteja preparado para ser um líder. São características importantes para o exercício da liderança, mas – como ressalta Vince Molinaro – liderar é, antes de tudo, uma decisão. Se você decidiu ser um líder, leve em conta que será importante desenvolver os pontos a seguir, como fez o Professor:

- **Ambição e energia:** as histórias do pai sobre aventuras de grandes assaltantes, com feitos extraordinários e planos fantásticos, e contadas com paixão e euforia, despertaram no Professor, segundo ele mesmo conta, a vontade de realizar algo parecido, de tornar-se um herói como aqueles (*sim, eram heróis para ele*). Você não precisa ensinar seu filho, seu sobrinho, seu aluno a ser assaltante de banco. Mas pense bem: como você pode inspirá-lo? Como pode ajudá-lo a querer realizar algo? Conte boas histórias, gere envolvimento, dê combustível para que as crianças imaginem e criem desejos que possam posteriormente realizar.
- **Desejo de liderar:** quando lhe foi despertado o interesse de realizar, o Professor não ativou apenas a ambição. Ele se colocou como agente de ação e como líder. Ele quis coordenar a execução de um plano perfeito. Quando o pai morreu, assumiu o dever de levar à frente a missão e fazer o que seu antecessor não conseguira concretizar.
- **Honestidade e integridade:** nosso objeto de análise não ajuda, porque estamos falando de assaltantes. Mas sejamos neste momento menos legalistas e um pouco mais filosóficos e consideremos que honestidade e integridade são conceitos interpretados de modo diferente no mundo do crime. O Professor, assim como seu pai, tem como primeira regra não matar ninguém. E, em seu plano, a ideia é também não roubar nada de ninguém (além de tempo) e produzir o dinheiro que será levado. Sua promessa para os liderados não era jogo de cena. Ele só fez promessas que de fato acreditava poder cumprir.
- **Autoconfiança:** "*Yo soy un hombre de suerte*". O Professor repetiu essa frase muitas vezes. Mais uma lição que aprendeu não só com o pai, mas com as leituras que fez ao longo de seus anos de enfermidade, histórias de grandes líderes, segundo conta. Durante as aulas, no decorrer do assalto, nos momentos em que as coisas estavam prestes a ruir, sempre se colocou nas situações com a visão de quem vai conseguir fazer tudo dar certo.

- **Inteligência:** eu prefiro tratar esse ponto como "capacidade de processar informações e produzir resultados satisfatórios". Nos meios acadêmicos, é um dos poucos aspectos que ainda deixam dúvidas quanto a serem natos ou aprendidos. Mas é fato – a ciência comprova – que, quanto mais informações você acumula, mais é capaz de processá-las e, assim, produzir resultados satisfatórios. Ou seja: mesmo que alguém já nasça com essa "habilidade", se você não nasceu com ela, pode desenvolvê-la – da mesma maneira que uma inteligência fantástica pode atrofiar caso não haja o estímulo certo. E inteligência e estímulo o Professor teve durante a vida toda.

SPOILER!

Ninguém tira do nada a ideia de pegar carona com o ex-marido da namorada, pedir para fazer cocô no meio da estrada, criar uma evidência criminal falsa enquanto finge fazer as necessidades, voltar e xingar o cara até ele resolver ir para a briga, apagá-lo e trocar a evidência que estava no porta-malas pela falsa recém-criada; e, depois de ter sido preso por causa da briga, fingir que apanhou e ser liberado levando junto sua foto e suas digitais registradas na delegacia.

- **Habilidade para dominar novos conhecimentos sozinho:** é outro aspecto que ainda dá fôlego aos partidários da ideia de líder nato. Mas valem aqui as mesmas considerações sobre a inteligência. Na verdade, esse ponto agrega alguns dos já citados anteriormente. Para ter facilidade de dominar novos conhecimentos e encontrar soluções para problemas em áreas sobre as quais você não estudou de modo formal, a postura de se colocar à frente e assumir responsabilidades (vontade de liderar), a convicção de que a resolução é possível por suas mãos ou sob sua orientação (autoconfiança) e sua capacidade de identificar e processar informações de maneira ágil e objetiva (inteligência) são fundamentais. Uma postura leva à outra. Inclusive, é justamente esse o argumento da turma de Ralph Stogdill para rejeitar a teoria de que a liderança seria um traço de origem genética, hereditária. Um líder nasce capaz de aprender sozinho ou aprende sozinho porque já desenvolveu antes a vontade de liderar, a autoconfiança e a inteligência? A maioria dos grandes empreendedores do mundo tem sua curva de aprendizado descolada dos bancos escolares: Bill Gates, Steve Jobs e Mark Zuckerberg são exemplos atuais. Abraham Lincoln é considerado um dos três mais notáveis presidentes da história dos Estados Unidos da América. Seu legado ecoará para sempre na história. E tudo isso se deve em grande parte ao que aprendeu ao longo da vida. Sem estudo formal, tornou-se um advogado de excelência que costumava dizer: "Aprendi tudo sozinho". Hoje, a habilidade de aprender sozinho começa a ser estimulada. Faça como o Professor e siga esse caminho. Anote aí: ninguém nunca virou líder lendo livros de liderança. Os livros vão abrir sua cabeça, trazer conhecimento, transformar sua visão de mundo. Mas não vão pegar na sua mão e fazer o trabalho por você. Concilie esses dois mundos se quiser ir mais longe. Domine o que os teóricos ensinam e use a teoria para desenvolver soluções com base no que sua experiência de vida vai lhe ensinar. Há duas máximas de Lênin que ilustram o que estamos querendo dizer: "A teoria sem a prática de nada vale" e "A prática sem a teoria é cega".

Você só vai ser um líder bem-sucedido se desenvolver a capacidade de enxergar a comunidade (uma comunidade pode ser seu condomínio, sua cidade, o país e também sua empresa) de forma ampla e conseguir compreender as reações de causa e consequência dentro dessa teia. Embora, muito provavelmente, em sua agenda de *chairman* não haja espaço para limpar o banheiro e preencher as planilhas das vendas do dia, será seu dever entender como cada uma dessas coisas funciona antes de se decidir sobre uma fusão.

Se você estiver seguro sobre essas questões amplas, não sofrerá na hora de desenvolver os aspectos já não relacionados com o processo de aprendizagem e preparação para a liderança, mas com o exercício da sua missão. São eles:

1. **Encontre as pessoas certas**: nenhum líder alcança resultados com uma equipe que vibra em outra sintonia. Trabalhar com pessoas alinhadas aos projetos da organização e à sua forma de liderar é o primeiro passo para as coisas darem certo. Nenhum líder é completo se for incapaz de tomar sua primeira grande decisão: escolher quem fará parte de sua equipe. Nesse quesito, o Professor foi quase excelente, alcançando o nível mais alto que se pode chegar nessa área, porque pessoas não são um algoritmo perfeito. Ele observou, conheceu, analisou e trouxe para seu projeto um grupo diversificado, que cobre todas as demandas da iniciativa e, mesmo com os contratempos e desavenças que surgem no meio do caminho, continua firme e consistente no trabalho a ser realizado.

2. **Dê motivos para que as pessoas queiram estar ao seu lado**: o Professor tinha total consciência dos anseios de todos e por isso, ao abordar cada um dos assaltantes, seu discurso não tinha como eixo simplesmente oferecer um posto de trabalho. Os desesperados topam qualquer coisa. Os melhores precisam ser conquistados, porque há sempre outra proposta tentadora aguardando. Antes de vender salário e benefícios, é importante oferecer valor. A proposta financeira das vagas abertas pelo Professor era irresistível, mas o trabalho tinha um risco quase proporcional. Como quase todos eram criminosos experientes, mesmo com uma remuneração fantástica o negócio poderia não ser tão bom quanto parecia. Para convencer alguém a passar quase duas semanas em um prédio cercado pelas principais forças policiais do país o Professor teve de, antes de tudo, conquistar a confiança dos seus futuros liderados. E fez isso com consistência na apresentação da proposta, com um plano que contemplava o crescimento de todos juntos e previa cada passo

com precisão cirúrgica. Aos poucos, ao longo das aulas preparatórias para o assalto, conquistou não só a confiança, mas o respeito e a admiração de todos, sem precisar ser populista e carismático (estilos de liderança dos quais falaremos mais à frente).
3. **Entenda que as pessoas certas saem da sintonia:** o Professor contratou os melhores profissionais para seu negócio. Estudou detalhadamente seus currículos e fez "entrevistas" extremamente assertivas (na verdade, essa etapa foi substituída por uma, digamos, análise profunda de antecedentes). Mas durante todo o processo teve consciência de que o jogo poderia sair de controle. E isso acontece em toda organização. As que têm líderes cientes dessa possibilidade têm muito mais chances de resolver o problema de forma ágil, antes que haja danos mais severos. Tóquio e Rio vacilam e deixam uma refém usar o celular, Moscou pensa em sair do prédio, o microgerenciamento de Berlim quebra as regras do plano – tudo isso são distorções que, de alguma maneira, o Professor sempre acaba transformando em novas oportunidades.
4. **Seja acessível:** líderes que se trancam em suas torres e apenas transmitem ordens por meio dos diretores não criam conexões e são vistos mais como opositores do que como aliados. São aqueles típicos chefes que comandam à base do medo. O Professor não invadiu a Fábrica Nacional de Moneda y Timbre e tem lá um "encarregado" que não goza de nenhuma simpatia por parte dos demais integrantes da equipe. Poderia ser o tipo odiável descrito neste tópico. Mas não. Há uma linha telefônica direta disponível para qualquer um. Ele presta contas de suas atividades para deixar claro que é parte de tudo aquilo e que embora esteja, a princípio, distante e protegido dos riscos que os demais correm, está trabalhando o tempo todo para que o plano funcione conforme planejado.
5. **Tenha inteligência emocional:** esse é um fator fundamental para qualquer profissional e definidor para um líder. O líder é permanentemente exposto a situações estressantes: mediar conflitos, tomar decisões complexas, negociar com *stakeholders*, ser responsável legal

e direto por ações que, por questões práticas, não são (nem podem ser) acompanhadas por ele em todas as etapas. Lidar com isso sem meter os pés pelas mãos ou acabar criando mais problemas em vez de resolvê-los e trabalhar esse aspecto cotidianamente é fundamental (logo falaremos desse assunto de maneira mais detalhada). O Professor teve que lidar com os problemas internos de sua equipe, negociar com a polícia, lidar com a própria detenção e desenvolver saídas para falhas que poderiam arruinar seu plano. E cumpriu tudo isso com êxito, sem perder a cabeça. O descontrole e desespero, inclusive, além de colocarem em xeque a competência do líder, o impedem de raciocinar corretamente na busca por soluções.

6. **Seja um bom tomador de decisões:** decidir é uma ação que envolve diferentes fatores, mas que se ancora principalmente em *timing* e capacidade de avaliação. Toda decisão tem hora certa para ser tomada. Precipitar-se ou demorar demais são posturas que podem tornar terríveis decisões que tinham tudo para ser ótimas. Nem sempre você vai tomar a melhor decisão. Não sofra por isso. Mas se esforce para decidir da melhor maneira possível sempre. Nesse aspecto, os pontos que fazem parte da formação de um líder são fundamentais: referências e experiências são decisivas para a tomada de decisões, bem como o conhecimento sobre o assunto em questão e o contexto.

PERFIS DE LIDERANÇA

Falamos até aqui sobre características, habilidades e experiência, elementos que fazem de alguém um líder, mas ainda de forma desconexa, genérica. Entregamos vários quebra-cabeças para serem montados. E você pode utilizar peças de uns que se encaixam com outros. Mas saiba que líderes não são figuras perfeitas. O quebra-cabeça montado pode exibir uma imagem que, talvez, você não compreenda bem. Alguns líderes são artes abstratas. Há os que conduzem equipes a grandes realizações. Há os que fazem isso deixando no caminho um prejuízo maior que o resultado obtido no final. E há ainda os que se apegam ao poder, não largam o osso e seguem jogando organizações e pessoas no buraco dizendo: "*Tranquilo, tranquilo. No pasa nada*".

Abraham Lincoln, Lênin, Bill Gates, Mark Zuckerberg e Steve Jobs, todos sobre quem já falamos, são líderes com algumas ou todas as características da lista da Teoria dos Traços. Mesmo assim, são líderes bem diferentes entre si. Fizeram coisas notáveis, mas com métodos diferentes, em contextos distintos. E é aí que chegamos aos perfis de liderança.

La casa de papel nos permite ilustrar esse tema de forma muito clara, porque há diferentes personagens, com perfis bem distintos, em posições de liderança.

Em uma pesquisa rápida, você pode encontrar dezenas de matérias listando os vários perfis de liderança – os mais comuns, os mais tóxicos, os mais eficientes. Se nos debruçássemos na análise de cada um, talvez este livro se transformasse em uma saga digna de J. R. R. Tolkien, autor de *O senhor dos anéis*. Como nosso amigo Ralph Stogdill, aquele que ajudou a desmontar a teoria do líder nato, costumava dizer: "Existem tantas definições de liderança quanto pessoas que tentaram cercar o conceito". Por isso não vou me aventurar a fazer uma lista definitiva dos perfis, mas, com os exemplos da série, podemos tratar de alguns tipos bem comuns no nosso dia a dia.

O líder Professor

Falamos sobre ele ao longo de todo este capítulo. Você já o conhece. É o líder culto, cheio de referências, bem-preparado, de grande inteligência emocional e dotado de uma capacidade fantástica de tomar decisões complexas mesmo sob pressão. É bom formador de equipe, inspirador e transmite confiança, oferecendo motivos concretos para as pessoas acreditarem em suas promessas e a se manterem fiéis a elas nos momentos mais difíceis.

Ao longo da série, a frase que mais ouvimos dos assaltantes é: "Eu confio no Professor".

SPOILER!

Sua promessa é tão consistente que, mesmo depois de ser capturada, com grandes chances de passar pelo menos 25 anos na cadeia, Tóquio resiste e não o entrega. Tóquio! A pessoa mais impulsiva e destemperada do grupo.

O líder Professor é um tipo raro na vida real, porque é o que se envolve nos processos da organização de ponta a ponta e faz o trabalho pesado se for necessário. Se você examinar alguns dos perfis de liderança mais citados (autocrático, democrático, paternalista etc.) não conseguirá encerrar o Professor em nenhum deles: ele tem um pouco de cada um, mas sem as falhas que muitos desses perfis apresentam. *Tá, então o Professor é o líder perfeito?* Talvez sim, porque estamos falando de ficção. O personagem foi criado para ser um grande herói infalível. Na vida real, o líder Professor muito dificilmente vai conseguir resolver todos os problemas que aparecerem no caminho, como se tivesse na cabeça o manual de instruções do universo. Mas é aquele que se importa com cada membro de sua equipe sem ser paternalista, que consegue firmar sua autoridade sem usar qualquer tipo de elemento de medo ou pressão, é seguido e admirado sem precisar ser carismático ou populista, é liberal e democrático sem perder as rédeas.

Note bem que, assim como todos os líderes, o Professor não pode estar presente fisicamente em todos os níveis e etapas operacionais. Mas em momento algum é um líder isolado, aquela figura da sala do último andar que alguns funcionários sequer conhecem. Mesmo nas situações em que a equipe não conseguia contatá-lo, esteve trabalhando (talvez mais diretamente do que os demais integrantes do grupo) em prol do objetivo geral.

O líder Professor da vida real também parece perfeito, mas é preciso dizer que, assim como o da ficção, o líder Professor, mesmo com boas intenções, pode ser um tanto quanto dissimulado e posar sempre de bom moço, mas sem abrir mão de alguns métodos e medidas não muito elogiáveis: pressão excessiva, assédio moral, ameaça etc. Só não executam esse trabalho com as próprias mãos. Terceirizam para aquele chefe de setor que todo mundo odeia.

O líder Berlim

Em um sistema como o do assalto de *La casa de papel*, em que o líder geral não pode estar fisicamente presente em momento nenhum, é essencial que haja alguém encarregado da gerência local, que execute a liderança de atrito, que gere desgaste e enfrente a resistência. É por isso que o plano do Professor jamais se concretizaria sem a presença de Berlim na casa da moeda espanhola. Berlim é o capitão, como ele mesmo se apresenta. Mas não só: é também o testa de ferro do Professor. É a lança que ataca e o escudo que aguenta pancada sem deixar que o Professor sofra um arranhão. Lembrem que, mesmo nos momentos de conflito entre os dois, Berlim nunca colocou em dúvida a liderança do seu superior perante o grupo.

Na vida real, nem sempre os tipos Berlim são meros testas de ferro. Às vezes têm o poder de mandar e desmandar em tudo. E aí o cenário não é dos mais bonitos. O personagem de *La casa de papel* tinha esse poder, de certa maneira. E seguiu à risca os comportamentos que definem seu perfil.

Claramente inspirado em tiranos famosos (ao longo da série, cita Mussolini e Hitler, usa campos de concentração como exemplos, diz que não gosta muito da democracia, mas a utiliza quando sabe que lhe vai ser favorável), este psicopata comprovado (como consta em sua ficha criminal) é extremamente tóxico e não se importa em deixar (literalmente) vários corpos no caminho para atingir seus objetivos.

Berlim tem quase todos aqueles traços de personalidade já citados que nos ajudam a identificar um líder. Mas também tem vários traços que nos ajudam a identificá-lo como um psicopata.

Esse é um dos tipos de líder mais comuns nas organizações, e não necessariamente porque são os que geram os melhores resultados, mas porque fazem o mercado acreditar que são. O líder Berlim é capaz de manter por um bom tempo as equipes trabalhando a todo vapor ("*Agora todos vão trabalhar sem parar cavando o túnel!*"), não tem escrúpulos para exigir o impossível, ameaçar, humilhar, ordenar artimanhas ilegais e, assim, colocar muito dinheiro no cofre da empresa. Tudo isso tirando casquinhas no meio do caminho (assediando estagiários, desviando dinheiro, superfaturando relatórios).

Psicopatas costumam não ter empatia por ninguém, são egocêntricos, manipuladores. E pior: muitas vezes conseguem fazer com que ninguém perceba isso. O líder Berlim é assim. Ele é capaz de levar todos os funcionários de uma empresa para a beira do abismo e fazer com que saltem por vontade própria, felizes da vida. E quando isso não acontece, também não vê nenhum problema em empurrá-los.

O líder Nairóbi

A assaltante Nairóbi, que comanda com entusiasmo a linha de produção de cédulas na Fábrica Nacional de Moneda y Timbre, ocupa uma posição de gerência no grupo. Não detém autoridade sobre os colegas assaltantes, apenas sobre os sequestrados, que representam ali o chão de fábrica. Ela não tem quase nenhum traço do perfil geral do líder, mas, na prática, prova ser mais eficiente do que qualquer líder Berlim.

Em *La casa de papel*, ela consegue cumprir sua meta de produção sem puxar o tapete de ninguém. Goza de respeito entre os colegas e subordinados. Preocupada em não colocar o plano em risco ("*Eu farei o que for necessário para que ninguém prejudique esse plano!*"), tem um senso de responsabilidade impressionante e se mostra extremamente preparada para assumir o comando quando o chefe (Berlim) enlouquece de vez e a organização entra em crise ("*Que comece o matriarcado!*").

Os traços que fazem de Nairóbi uma líder brilhante são: ambição (ela quer muito aquele dinheiro), honestidade e integridade (sempre foi transparente e firme em suas promessas, tanto perante os colegas como diante dos reféns, sem contar que impediu recaídas dos parceiros em várias ocasiões) e vontade de liderar (ela não fica parada aguardando ordens, tem consciência de suas responsabilidades e age proativamente).

Se existem três palavras que definem esse tipo de líder, elas são: humildade, pragmatismo e eficiência.

E se tem algo que esse tipo de líder não suporta é gente como…

O líder Arturito

Não sei vocês, mas não consegui identificar alguém mais desprezível em toda a série do que Arturo Román, o Arturito, diretor da Fábrica Nacional de Moneda y Timbre. Nem mesmo Berlim. Nem mesmo o coronel Prieto. Esses dois últimos se sobressaem em pelo menos dois pontos: sabem o que estão fazendo e agem estrategicamente.

O líder Arturito se diferencia pouco do líder Berlim. É como se Berlim fosse Saddam Hussein e Arturito, George W. Bush: ambos mataram muita gente, mas o último fingia melhor respeitar as regras aceitas pela maioria.

Na vida real, o líder Arturito recorre às mesmas medidas do líder Berlim, mas sem ser um bom líder, talvez pela fraqueza evidente e postura covarde. Até consegue manipular e seduzir, mas, como surta no primeiro obstáculo, todos sabem que suas promessas são vazias. Ninguém pularia de um abismo por ele, e ele tampouco conseguiria empurrar alguém pessoalmente (mas daria um jeito de fazer com que algum trouxa cumprisse o serviço).

Arturito é medíocre. Tem ideias estúpidas nas quais não acredita muito, mas convence outras pessoas a se arriscarem para que, caso funcionem, tire proveito delas. Tão egocêntrico quanto Berlim, mesmo no meio do caos, sem nenhuma autoridade, acredita piamente que as pessoas ainda lhe devam obediência. É um chefe tão ruim que faz você desejar ter um Berlim de volta.

O líder Raquel

O centro de comando da polícia em *La casa de papel* é feito de gato e sapato pelo Professor por alguns motivos. Os primeiros e mais óbvios são a competência do líder dos assaltantes e a qualidade do seu plano. Mas há também o fato de a polícia oscilar entre momentos de vácuo de liderança e outros de disputa pelo trono.

Raquel é, claramente, a pessoa mais preparada para conduzir o caso. Tem um repertório fantástico (quase tão bom quanto o do Professor), uma ótima capacidade de visualizar amplamente o cenário e interligar pontos e é ágil na tomada de decisões. Mas duvida a todo instante de sua própria capacidade de liderança, não tem controle emocional e, pior, deixa suas fragilidades muito expostas em vez de protegê-las e compensá-las.

O líder Raquel é aquele que assume o posto cheio de gás, tem muita vontade de fazer, planeja como ninguém, tem as melhores ideias, mas fraqueja na execução, entra em crise e se desespera. Depois se levanta, começa tudo de novo e volta a cair. E segue assim, sem estabilidade, enquanto o barco anda.

Em *La casa de papel*, é o tipo de oponente perfeito para os planos do Professor: perde muito tempo com inseguranças e medos. Na vida real, assim como na série, tempo é um ativo caro. Demorar pode significar perder um bonde que não passará mais por ali tão cedo. Em muitas situações, a decisão deverá ser assertiva e ágil. Isso quer dizer que não pode ser impulsiva, mas também não pode empoeirar na mesa. As melhores oportunidades aparecem de surpresa. Se você não estiver preparado para avaliá-las e decidir rapidamente, talvez ainda não esteja totalmente pronto para assumir a responsabilidade da decisão.

EXERCENDO A LIDERANÇA

Eis aqui o momento de esquecer tudo que aprendeu sobre liderança, inclusive o que leu neste capítulo (*Brincadeira!*).

Mas toda brincadeira tem um fundo de verdade.

Vamos lá: não é necessário esquecer o que aprendeu aqui ou jogar no lixo tudo que estudou sobre liderança na vida. Mas a vida real não é uma teoria, ninguém é um perfil descrito em um livro de 1926, e as organizações não são ecossistemas em perfeita harmonia. Liderar de verdade é encher o tanque e fazer o carro andar sem ter que ficar calculando cada detalhe do processo químico que provoca a combustão e faz o motor funcionar. Se você se ocupar de calcular cada movimento de sua liderança, problematizar a todo instante, será tudo, menos um líder.

Assim como o caminho se faz ao andar, a liderança se trilha liderando. Diariamente vão apresentar a você desafios, problemas, falhas críticas, abacaxis indigestos. Você vai precisar lidar com pessoas dos mais variados tipos, precisará mensurar cada palavra dita, avaliar cada decisão. Nesses processos, tudo aquilo que você absorveu como gasolina em um motor vai ser crucial. Mas é o dia a dia que ensina as melhores lições.

Você pode ser o dono de um negócio, um diretor, um gerente. Ser o síndico do prédio, o representante de sala, o presidente do sindicato. Pode virar CEO, comandar um órgão público, virar presidente da República. Para cada uma dessas posições, em cada um dos ambientes aos quais elas estão relacionadas, há rotinas específicas, modos de agir, *stakeholders* diferentes. Líderes capazes de conduzir com eficiência qualquer organização, da banca de verduras ao governo de um país, são como duendes: ninguém nunca viu, mas há quem acredite que existam.

Estou com os céticos nessa questão, porque tenho plena convicção (*e também provas, tá?*) de que o exercício da liderança não se restringe exclusivamente às competências individuais. Possuir as características, as habilidades e os comportamentos do modelo mais admirável de líder é ótimo, mas não é garantia de que a execução vai funcionar.

Não são raros os exemplos que já encontrei ao longo da vida de líderes maravilhosos colocados nos lugares errados. No mercado de comunicação, de onde eu venho (mas não só nele), há um costume horrível. Já vi isso acontecer em diversos jornais e revistas tradicionais: quando um repórter se destaca, desenvolve um trabalho que gera retorno positivo e ganha prêmios por isso, a direção muitas vezes deseja recompensá-lo, "valorizá-lo". E faz o quê? Promove-o a editor. E, não raro, tudo que consegue é perder um repórter fantástico e ganhar um editor medíocre.

Esse talvez seja o maior desafio do líder, que não vem mastigado nos livros com um manual de como enfrentá-lo: encontrar o lugar certo para cada pessoa em sua equipe. Lá no começo falamos sobre a importância de o líder ser um bom recrutador. E, sim, isso é muito importante. Mas ainda é o começo do trabalho.

Organizações se transformam todos os dias, porque os mercados também mudam. E no contexto atual as mudanças ocorrem de forma cada vez mais veloz. Isso significa que, muitas vezes, a função para a qual alguém foi contratado precisa ser reajustada de tempos em tempos e, em alguns casos, acaba até perdendo o sentido de existir. Cabe ao líder perceber como pode estimular a transformação pessoal e profissional dos seus liderados, bem como conduzi-los aos novos processos. Porque os melhores profissionais precisam estar sempre com você.

Conheci um colega de profissão que começou a carreira lá nos anos 1970 trabalhando na preparação de páginas para impressão na gráfica. Hoje ele comanda a equipe de criação gráfica do portal ligado ao mesmo grupo. Ele costuma dizer que foi o único sobrevivente daquela época porque foi estimulado e treinado pelo seu líder para continuar desenvolvendo seu trabalho, mesmo que com novas tecnologias, em novos cenários.

É isso que diferencia o líder de um simples chefe. Legal falar assim, né? "Seja um líder, não um chefe." Eu sei, a frase colou e facilita na hora de diferenciar um líder ruim de um bom líder. Mas não embarque nessa baboseira.

E tem mais. Lá atrás ressaltamos a inteligência emocional do perfil do líder Professor. E cabe aqui reforçar essa questão, porque é na rotina –

muito mais do que em qualquer faculdade, curso ou livro – que você vai entender realmente a importância desse fator.

De acordo com a Psicologia Cognitiva, nossa vida é regida por uma tríade: pensamento, sentimento e comportamento. Pensamos em algo, o pensamento desencadeia um sentimento e este determina um comportamento. Por exemplo: você desconfia que seu chefe não vai com sua cara, por isso, sente tristeza, raiva e revolta (os sentimentos dependem da personalidade de cada um). Isso provoca uma reação, que pode ser o desejo de pedir demissão, a vontade de recolher-se e evitar contato, uma explosão de ira ou de medo.

Você percebeu que, para cada elemento da tríade, existem diferentes possibilidades. Inteligência emocional pressupõe justamente o controle sobre esse processo, sem deixar que seus pensamentos, sentimentos e comportamentos dominem e afetem negativamente o seu trabalho e seus resultados.

Enquanto líder, você vai ter que lidar com subordinados que estão errados e não abrem mão de dizer que estão certos. Vai ter que negociar com espertalhões, precisará responder sem criar tensão a uma proposta de parceria indecente porque aquele parceiro não tem algo interessante naquele momento, mas pode continuar sendo estratégico.

Tem gente que vai perder a cabeça. E tem gente que tira tudo isso de letra. Trabalhe todos os dias para fazer parte desse último time. Muitas vezes, seu maior sabotador é você mesmo. Por isso, lembre-se de que inteligência emocional também serve para lidar com sua autocobrança, sua autocrítica, suas metas, sua realização pessoal.

Ao se tornar líder, não se esqueça de si mesmo. Lembre-se de que tem uma família, se for o caso. Pergunte-se sobre os motivos pelos quais trabalha e verifique se o próprio trabalho não o está impedindo de realizar os objetivos que o movem. A felicidade é um fator crítico e decisivo para uma boa liderança.

Caia na estrada, meu caro leitor. Se quer ser um líder, você pode. Espero ter compartilhado aqui instrumentos suficientes para estimular seu crescimento e impulsionar sua caminhada.

Agora siga direto para o próximo capítulo, porque lá trataremos de um assunto que está umbilicalmente ligado ao que abordamos aqui: estratégia!

O QUE APRENDEMOS NESTE CAPÍTULO

Neste capítulo falamos sobre como nasce um líder, as características que o definem, a importância dos estímulos positivos na infância e também sobre os comportamentos e as competências que precisam ser desenvolvidos para liderar de forma adequada. Analisamos os perfis de liderança presentes em *La casa de papel* e concluímos com um panorama do que é liderar na prática.

2. ESTRATÉGIA

"O erro de todo plano é achar que tudo vai dar certo."

MUITO ALÉM DAS TÁTICAS DO PROFESSOR

As duas epopeias do poeta grego Homero, *Ilíada* e *Odisseia*, são apontadas como as primeiras grandes obras da literatura ocidental. Esta última conta a história do retorno do guerreiro Odisseu, também conhecido como Ulisses, da Guerra de Troia à ilha da qual era rei, Ítaca. Sua aventura é até hoje utilizada como exemplo para qualquer empreitada de longo percurso e com muitos desafios.

A história mítica de Odisseu é bela e encantadora. Uma fantástica alegoria que pode muito bem representar as lutas diárias de empreendedores, gestores e profissionais responsáveis por grandes realizações. Mas não é necessariamente por isso que fazemos alusão a ela neste capítulo. O que nos interessa é aquilo que Odisseu fez antes de embarcar de volta para casa.

Odisseu foi um personagem-chave na Guerra de Troia, mas passaria longe dos holofotes se naquele tempo existissem canais de televisão e redes sociais. Indivíduo retratado como pacato e avesso ao confronto, atuou no conflito como estrategista. Um homem das coxias.

Conhecido por ser um grande guerreiro, mas também um estrategista inigualável e ótimo negociador, sua regra (estratégia) inicial era não se envolver em conflitos e manter seu reino seguro. Mas como havia prometido aos deuses proteger Menelau e Helena pelo resto da vida, não teve como fugir (*quebrar um pacto com os deuses era encrenca, pode acreditar!*). Por isso, dirigiu-se a Troia para tentar resolver a situação sem pegar em armas. Os troianos não aprovaram a proposta e os espartanos, bem superiores em poder bélico, decidiram partir logo para o confronto, em uma guerra que previam encerrar em pouquíssimos dias. E é aqui que começa a história estratégica mais fantástica do mundo.

O grande choque foi os espartanos terem sido derrotados na primeira batalha. Seus adversários, embora mais fracos, eram inteligentes. Foi quando Odisseu teria dito uma de suas frases mais célebres: "Venceremos essa guerra. Mas não desse jeito. Não do dia para a noite. Levaremos tempo. E precisaremos agir de forma estratégica".

A guerra durou doze anos. Os troianos eram mais fortes do que pareciam e tinham uma estrutura de defesa muito bem pensada, que só caiu por causa da habilidade de Odisseu em traçar estratégias eficientes que enfraqueceram Troia. Ao longo do conflito, ele provocou desabastecimento e, consequentemente, fome, ao bloquear os acessos troianos a fontes de água e alimentos, o que gerou instabilidade política na cidade.

Além de conseguir manter um exército em ação por mais de uma década, dentre tantos outros feitos de Odisseu se destaca o famoso Cavalo de Troia, o magistral presente dado aos troianos (daí vem a expressão "presente de grego") como sinal de rendição. Tratava-se de uma grande escultura de madeira, enviada para dentro dos muros de Troia com a indicação de que os gregos haviam desistido da guerra. Mas a escultura era oca e guardava soldados espartanos que, à noite, quando todos dormiam, abriram os portões do reino adversário para que o exército grego entrasse. Isso provocou o fim do conflito, com a vitória esmagadora dos espartanos sobre os troianos.

Por que contei essa história? Porque Odisseu foi, sem dúvida, uma das maiores inspirações para Sergio Marquina, mais conhecido como o Professor, em *La casa de papel*. Além da referência mais óbvia – o Cavalo de Troia infiltrado no Q.G. da polícia –, toda a ação é marcada por situações que lembram, senão as intervenções de Odisseu no meio da guerra, suas aventuras na volta para casa.

Durante o assalto o professor precisou várias vezes agregar planos de emergência à sua estratégia para garantir que o objetivo inicial não fosse prejudicado.

SPOILER!

O resgate de Tóquio, o caso dos palhaços no hospital, o falso galpão quando Raquel desconfiou dele pela primeira vez, o roubo de evidências do carro do ex-marido de Raquel, a ameaça ao russo do ferro-velho que estava prestes a concluir seu retrato falado e tantos outros.

E é justamente esse processo com ares épicos do grande plano do Professor que nos leva aos próximos tópicos. Vamos falar sobre o processo que deu origem ao que conhecemos hoje como estratégia corporativa e entenderemos como as ideias de dois autores que emergiram nesse contexto – Michael Porter e Henry Mintzberg – são essenciais até hoje (*ah, e não me esqueci de Peter Drucker!*). Montei também uma lista sobre como criar e executar um plano (quase) perfeito, com base na minha própria experiência prática (*errei muito antes de chegar a esse manual, por isso, pode confiar nele!*), e dediquei um espaço para falarmos mais uma vez sobre inteligência emocional, fazendo a ponte entre liderança e a execução de planos estratégicos.

ASSIM NASCEU A ESTRATÉGIA CORPORATIVA

Há cinquenta, sessenta anos, o mundo corporativo era muito, mas muito diferente deste que conhecemos hoje. Sob o rescaldo do pós-guerra, as grandes empresas das principais potências do mundo se dividiam em dois tipos (nos países em desenvolvimento, naquela época, sequer existia algo que pudéssemos chamar de "mundo corporativo"):

De potências vencedoras da guerra: gozavam de tranquilidade, não enfrentavam grande concorrência interna, nenhuma concorrência externa e eram todas bem integradas ao esquema de um mercado ainda muito regulado pelo Estado (a Rússia, à época uma das repúblicas que formavam a URSS, era a única nação comunista do bloco dos Aliados, mas a mão toda-

-poderosa dos governos atuava intensamente em todas as potências, até mesmo por uma questão de defesa da soberania e da integridade territorial, já que a Guerra Fria, que começou logo após a Segunda Guerra Mundial, gerou instabilidade política no mundo por algumas boas décadas).

De potências derrotadas na guerra: países como Japão e Alemanha tiveram que obedecer por um bom tempo à cartilha dos vencedores e acabaram desenvolvendo métodos para otimizar a ajuda recebida (bem limitada e atrelada a severas contrapartidas). O Japão, por exemplo, hoje referência global em alta tecnologia, ocupou o papel desempenhado atualmente pela China na confecção de produtos baratos. Essas empresas tinham muito pouco para investir, limitações de mercado e precisavam otimizar seus processos. Ou seja: produzir o máximo gastando o mínimo.

Durante dez anos depois da guerra, as empresas do primeiro grupo deitaram na rede e as do segundo arregaçaram as mangas e foram trabalhar. Passado esse período, o mundo corporativo virou de pernas para o ar.

Aquele mar azul, tranquilo e calmo, no qual as empresas dos países vencedores da guerra passeavam de iate, tomando champanhe, foi atingido por uma tempestade gigantesca. Os Estados não suportaram o peso da máquina gigantesca que criaram, as desregulamentações e privatizações injetaram concorrência nos mercados e as empresas dos países derrotados conseguiram crescer o suficiente para peitar as primas ricas, desencadeando uma corrida global por mercados que deu origem ao que hoje chamamos de globalização (processo que ninguém sabe precisar exatamente quando começou, mas todo mundo tem certeza de que está longe de acabar).

Nesse contexto, dois fatos se destacam: no lado "pobre", o surgimento do Toyotismo e dos conceitos ligados à sua ideia de produção enxuta, como *lean manufacturing, just in time,* e *kanban*. No lado "rico", o advento da estratégia corporativa. Pois é: a estratégia existe há milênios; o capitalismo, há séculos. Mas até o final dos anos 1950 e início da década de 1960, ninguém havia parado para sistematizar a administração de forma estratégica.

Bruce Henderson, fundador do Boston Consulting Group (o famoso BCG, criador da Matriz BCG e de vários outros conceitos ensinados nos cursos de Administração mundo afora), foi um dos pioneiros dessa história, plantando a semente do que mais tarde viria a transformar profundamente todos os mercados do mundo (depois do caos, o Toyotismo serviu aos "ricos" e a estratégia também serviu aos "pobres"). Henderson colocou a estratégia no eixo central das grandes corporações, inaugurou e difundiu o trabalho das consultorias e fez com que uma gama imensa de métodos, processos, sistemas de avaliação, políticas de gestão de pessoas e várias outras coisas surgissem sem parar.

Obviamente, quando você acende uma fagulha o fogo se alastra. E foi assim com a estratégia empresarial e a consultoria. Do BCG, surgiu a Bain & Company (fundada por dois ex-integrantes da companhia de Henderson cujas visões conflitavam com as da sua antiga companhia). E então vieram várias outras. Há quem diga que, na verdade, quem administra o mundo hoje não são os governos nem as corporações, mas as grandes consultorias. Não sei se é verdade, mas o fato é que lá atrás as coisas só aconteceram por causa delas.

A ÓTICA DO POSICIONAMENTO E A ESTRATÉGIA ARTESANAL

O processo inicial do pensamento estratégico no mundo corporativo envolve um dado interessante: não nasceu na academia e depois chegou ao mercado. É, na verdade, fruto do mercado e prosperou graças a um diálogo permanente entre esses dois ambientes (não sem dividir opiniões nos dois campos). Até hoje um duelo movimenta os debates em empresas, consultorias, cursos de graduação e MBAs sobre qual é a melhor maneira de definir uma estratégia.

De um lado, Michael Porter, focado em posicionamento e com a ideia de uma estratégia mais formal e rígida; do outro, Henry Mintzberg, o bagunceiro da turma, que prefere a ideia de "microestratégias" no âmbito de um plano estratégico principal, porque, assim como você já deve ter ouvido alguém dizer em *La casa de papel*, ele também acredita que "o erro de todo plano é achar que tudo vai dar certo".

Os ensinamentos de Michael Porter são fundamentais para que possamos compreender o posicionamento de uma corporação em seu mercado e, a partir disso, traçar suas estratégias. Sua teoria fez um sucesso imenso quando foi apresentada nos anos 1970, sucesso este que triplicou após a boa recepção de *A vantagem competitiva das nações*, seu livro que aplica aos países as mesmas regras observadas nas empresas. Ninguém fala de estratégia sem passar pelas cinco forças elencadas por ele ao tratar da competição entre empresas: poder de barganha dos fornecedores, ameaça de novos entrantes, poder de barganha dos clientes, ameaça de produtos substitutos e a própria rivalidade entre os concorrentes.

Muito provavelmente o Professor leu esses ensinamentos. Mas seus livros de cabeceira, sem dúvida nenhuma, são os de Henry Mintzberg. Seu conceito de "estratégia artesanal", cunhado já há algumas décadas, paralelamente aos de Porter, faz ainda mais sentido no mundo corporativo atual, um cenário que não difere muito do apresentado em *La casa de papel*: mudanças constantes, fatos que nem o melhor dos videntes é capaz de prever, necessidade de avaliação e decisão de forma ágil, improvisação.

Mintzberg acredita que toda organização aprende durante o processo de execução de uma estratégia e que essas lições precisam ser sistematizadas e aplicadas em tempo real para enfrentar os desafios não previstos que aparecem ao longo do caminho. Em um mercado líquido, não há espaço para estratégias sólidas. Por isso, as ideias de Mintzberg parecem fazer mais sentido nos tempos atuais.

Preste atenção e note que Mintzberg não é o cavaleiro do apocalipse que vai incendiar os planos. Ele reconhece e estimula o uso do planejamento, mas ressalta que não é possível se agarrar a ele como um náufrago que não quer saltar do barco que está afundando.

Em *La casa de papel*, a posição "mintzberguiana" do Professor é muito clara. Embora à primeira vista pareça um seguidor de Michael Porter, com tudo traçado do começo ao fim (e talvez ele até o fosse quando fez o planejamento), a execução lhe mostrou que o mundo real é diferente do da teoria. E, na prática, ele se mostrou um discípulo aplicadíssimo de Mintzberg.

SPOILER!

Talvez o romance de Sergio Marquina com a inspetora Raquel Murillo seja o melhor exemplo de como um plano perfeito enfrenta fatores imprevisíveis, que exigem decisões urgentes para que o objetivo final não seja comprometido. O próprio Professor ressalta isso ao ser interrogado com um detector de mentiras pela amada. Ele conta que planejou tudo, tudo mesmo, menos se apaixonar por ela. Ressalta que, para o plano, isso foi um erro grave e que precisará tomar atitudes para evitar que o ocorrido ponha abaixo todo seu esforço. Mas Marquina planejou o Cavalo de Troia. Ele sabia que em algum momento a oportunidade de implantar uma escuta no Q.G. da polícia apareceria. A oportunidade surgiu quando Ángel entrou na casa da moeda espanhola disfarçado de médico, e a equipe aproveitou para instalar um microfone em seus óculos. O Professor pode até ter previsto que isso geraria desconfiança dos demais integrantes das forças de segurança em relação ao amigo de Raquel, mas não previu que o próprio Ángel passaria a desconfiar e investigar o namorado estranho da inspetora. Pior: que esse investigador descobriria seu esconderijo e seu nome, e ameaçaria tão gravemente o sucesso do assalto. Foi aí que a "microestratégia" dos palhaços nasceu e foi colocada em prática.

Só que a ação com os palhaços no hospital deixou um rastro: um fio da peruca vermelha usada pelo Professor ficou em seu paletó, o qual foi percebido por Raquel. E então novamente surgiu a necessidade de mais uma "microestratégia": convencer Raquel de que os assaltantes eram o lado bom daquela guerra.

Durante toda a série, é possível notar como um plano, por mais que seja milimetricamente planejado, sempre esbarra em algo imprevisível. Prepare-se sempre para cenários assim.

Mas veja só: não passe a usar essa realidade como desculpa para fazer planos ruins, cheios de lacunas e com grande potencial de enfiar sua organização em armadilhas cruéis. Afinal, quanto menos "microestratégias" você precisar usar (ou seja, menos surpresas tiver), melhor.

Decisões e consequências

Peter Drucker ficou conhecido como Pai da Administração Moderna, mas reza a lenda que ele costumava dizer que, na verdade, tinha inventado a administração. E, embora pareça um tanto esnobe, faz certo sentido. Antes dele, não havia uma sistematização definida dos processos administrativos e gerenciais, embora já existissem teorias soltas e não integradas focadas em produção.

Tudo isso para reforçar a autoridade do velhinho, que infelizmente nos deixou em 2005. Drucker entendia das coisas e sempre teve um poder de análise muito certeiro ao longo de toda a sua longeva carreira.

Ele dizia, por exemplo: "O planejamento não diz respeito às decisões futuras, mas às implicações futuras de decisões presentes".

Falamos sobre isso no capítulo anterior, e é muito importante que você compreenda a relação do que vimos lá com o que estamos abordando agora. Cada decisão que você toma não produz apenas uma mudança ou manutenção de cenário no momento em que é tomada. Por mais que não tenha a ver diretamente com um ponto futuro, ela vai ter reflexos, inevitavelmente, em algo que acontecerá futuramente. E isso precisa estar previsto no seu planejamento.

A tomada de decisões em um planejamento estratégico depende da análise de inúmeras variáveis e – via de regra – não é feita de maneira intempestiva. Em *La casa de papel*, tanto nas comunicações entre o Professor e os assaltantes quanto nas negociações entre ele e a polícia, nenhuma medida é tomada sem que antes haja uma avaliação cuidadosa das suas consequências, que incluem a reação esperada das forças de segurança. Porque uma pecinha movida no lugar errado pode derrubar o castelo inteiro!

SPOILER!

Não há exemplo melhor para ilustrar isso do que duas situações que se passaram no Q.G. policial, protagonizadas por Raquel Murillo.

A primeira ocorreu quando ela resolveu aceitar a proposta de difamar Berlim com mentiras criadas pelo serviço de inteligência, acrescentando à sua ficha criminal atos como exploração sexual e estupro. Uma decisão estúpida por muitos motivos, mas que teve como grande consequência desastrosa (para a polícia, é claro) a revelação de que se tratava de uma mentira, com o próprio Berlim posando de vítima na televisão e conclamando a população e a imprensa a investigarem as calúnias. Não deu outra: a polícia saiu como mentirosa da história e a opinião pública, que já pendia para o lado dos assaltantes, tornou-se ainda mais favorável a eles.

A outra situação aconteceu quando Raquel Murillo, mais uma vez sob influência do chefe da segurança nacional, coronel Prieto, disse que preferia liberar só a filha do embaixador britânico na Espanha no lugar de um grupo muito maior de reféns. O Professor divulga a gravação para a imprensa e, mais uma vez, a opinião pública se volta contra a polícia.

OITO DICAS PARA MONTAR E EXECUTAR UM PLANO (QUASE) PERFEITO

O planejamento é uma etapa crucial em toda estratégia, por mais que você e sua organização compreendam o caráter instável do que vai ser posto no papel. Esse processo é delicado, minucioso e precisa ser feito com calma.

Escrevo com a experiência de quem já elaborou centenas de planos. Planos que deram certo, planos que fracassaram, planos que nem deveriam ter existido, planos que poderiam ter sido melhores, planos que não precisavam ser tão bem-elaborados.

Colocá-los no papel (ou na tela do computador, no quadro negro, no mural, onde quer que você queira) é o primeiro passo para qualquer desejo se converter em atitude. Quando uma grande ideia surge na cabeça, ela só enxerga "uma maneira fantástica de alcançar aquele resultado". O problema é que visualizamos o objetivo em linha reta, passando por uma estrada sem buracos, sem ninguém para atrapalhar. Na vida real, mais uma vez, é diferente.

Foi por isso que elaborei um guia sobre como montar um plano (quase) perfeito.

1. Certifique-se de que o destino vale a pena

Andar por aí à toa, sem destino certo, apenas pensando na vida e curtindo a paisagem, é legal, mas serve para arejar as ideias, aliviar o estresse, relaxar. Agora, quando tratamos de estratégia, não dá para caminhar a esmo. O ponto de partida de qualquer plano é o final. Não adianta gastar tempo e recursos elaborando maneiras de conquistar algo sem ter certeza de que o objetivo realmente valha todo o esforço. Assim, você vai conseguir, no máximo, encontrar uma maneira ótima de fracassar.

Quando falo sobre ter certeza de que o destino vale a pena não se trata simplesmente de vislumbrar o ganho visível. Por exemplo: o Professor resolveu invadir a Fábrica Nacional de Moneda y Timbre para fabricar muito dinheiro sem matar nem roubar, de fato, ninguém. Maravilha! É claro que esse objetivo é fantástico. Mas qual será o seu custo? Quanto será necessário para se cavar um túnel durante cinco anos? E para se montar todo aquele aparato de contraespionagem? Para a aquisição do armamento? Para a tecnologia de comunicação?

E não é só isso. Quais são os riscos envolvidos na operação? Quais dados podem ser gerados? O resultado recompensará o tempo e o esforço empreendidos ou será que não valeria mais a pena dedicá-los a outro projeto, mais vantajoso e com mais chances de ser bem-sucedido?

SPOILER!

No caso do assalto à casa da moeda da Espanha, deu tudo certo. Mas nem sempre funciona assim. Dê atenção de verdade a esse ponto.

Outra coisa importante a se ressaltar é que, no meio do caminho, diante das dificuldades, é comum desanimar. Fracassos, inevitavelmente, abalam líderes e equipes (falaremos sobre a importância da inteligência emocional na estratégia logo mais). E em todo processo há o risco de uma parte não ir muito bem. Isso não quer dizer, necessariamente, que a decisão inicial foi errada. Durante a caminhada, mantenha uma rotina rígida de avaliação. Se as análises mostrarem que ainda vale a pena continuar, siga em frente. Só aborte a missão se os cálculos realmente acenderem o sinal vermelho (é melhor arcar com o prejuízo dos investimentos que levaram o projeto até ali do que continuar levando rasteiras e cavando um buraco cada vez mais fundo).

SPOILER!

O Professor passou por uma situação parecida quando se deu conta de que realmente estava apaixonado pela inspetora Raquel Murillo. Ele passou a se questionar se valia mesmo a pena seguir com o assalto e ser infeliz por não poder tê-la ao seu lado. Para a felicidade de todos os envolvidos no plano, ele se voltou ao objetivo inicial rapidinho.

2. Mate sua grande ideia

Esta sugestão parece contraditória, mas não é. Quando você pensa em uma estratégia fenomenal, ela é perfeita. Mas não existe nada perfeito neste mundo. Então, desconfie. Disseque aquele *insight*. A ideia é boa? É viável? Quais são os obstáculos à sua execução? Como executá-la? Quem vai executá-la? Quando começa? Qual é a previsão de término?

Se ao fim de tudo isso sua ideia inicial, exatamente como foi concebida, não tiver morrido e dado lugar a uma versão turbinada de si e continuar parecendo uma linha reta, impecável, desista. Principalmente se ela exigir um processo muito longo para se chegar ao objetivo final. Caminhos fáceis demais guardam sempre as piores armadilhas, capazes de colocar abaixo não só aquele plano, mas você e toda sua organização. Caminhos fáceis e ainda por cima longos costumam ter como destino o cemitério.

No meio das *startups*, uma das premissas básicas está justamente no processo de validação do negócio. Lembra-se da chamada do *Globo Repórter*? "Onde vivem? O que fazem? Como se alimentam?". Seja bem mais criterioso do que o programa. Pergunte-se sobre todas as variáveis.

Se assim o fizer, você poderá verificar o que é realmente relevante em seu serviço ou produto, além de examinar seus diferenciais em comparação aos da concorrência. Ou seja, certifique-se de que esse negócio que está bolando tem mesmo potencial. Até chegar ao ponto de entender bem o seu público, de identificar seus diferenciais e de ele descobrir a sua proposta de valor, não há muitas escolhas: você terá uma boa jornada (dá um certo trabalho).

Não se trata de preciosismo ou mesmo de pessimismo o que manifesto aqui. É que, por experiência própria, garanto a você que nenhuma boa ideia passa ilesa pelo filtro das variáveis. Para que ela seja promovida de uma "boa ideia" a "estratégia vencedora", você precisa se equipar de prós e contras, evidenciar os riscos, identificar bem as vantagens, avaliar a validade da execução. Se nem você nem seu time conseguiram identificar esses penduricalhos, é melhor esperar.

SPOILER!

Arturo Román pode me ajudar a explicar isso melhor. Quantas vezes ele não encontrou uma solução fácil para escapar? A última quase lhe custou a vida e desfez totalmente o restinho de confiança que tinha da parte dos reféns.

Podemos perceber isso também na bela ideia de Tóquio de voltar para o lugar do assalto em uma moto, passando pelo meio do cerco policial, em vez de encontrar um lugar para se esconder e aguardar o contato do Professor. O objetivo final foi alcançado com sucesso, mas custou a vida de Moscou.

3. Pense na medida certa

Uma estratégia benfeita exige calma, é verdade. Sem o tempo necessário para ponderar e avaliar todas as variáveis, o risco de montar uma armadilha em vez de um plano é grande. Mas não deixe a divagação assumir o controle. Nosso cérebro é mestre em estabelecer conexões infinitas. Quando nos demoramos muito no plano das ideias corremos o risco de nunca sair dele, como as crianças de *Caverna do Dragão*, que sequer tiveram direito a um último episódio para tentar fugir do reino.

Você pode achar, a princípio, que o Professor foi um divagador, por ter levado tanto tempo para concretizar seu plano. Mas isso é um engano. Embora tenham se passado quinze anos entre a ideia e a conquista do resultado, boa parte desse período foi ocupada pela execução. Pense bem: ele teve que estudar a Fábrica Nacional de Moneda y Timbre, identificar suas vulnerabilidades, construir o túnel, selecionar e recrutar parceiros, adquirir armas, comprar equipamentos, construir uma rede de suporte externa, organizar a rota de fuga.

Perder o *timing* para a execução pode resultar em diversos problemas, como perda de oportunidades, desmobilização da equipe, surgimento de outras demandas que acabam ofuscando o projeto e, principalmente, obsolescência do próprio projeto, o que pode exigir a confecção de um novo plano.

4. Compartilhe

Lembra-se da etapa das perguntas, da qual falamos há pouco? Pois é. Questione tudo que puder. Mas não faça isso sozinho. Quando sua capacidade de duvidar de si mesmo se esgotar, chame mais alguém. Mais alguém. E mais alguém. De preferência, pessoas com as mais diversas opiniões. Pessoas com grande capacidade analítica e sem medo de dizer ao chefe (*ops, que palavra feia! Desculpe: líder*) que ele está errado.

Envolva também todos que participarão da execução. As organizações costumam centralizar as decisões e, por consequência, a análise das variáveis. E boa parte dos líderes, por vaidade ou insegurança, não faz muita questão de mudar essa prática. Mas não há ninguém melhor para avaliar, orientar e prever riscos e falhas do que quem está diretamente envolvido com determinada tarefa.

Aquela velha historinha de que duas cabeças juntas pensam melhor do que uma é a mais correta do mundo. E, assim como a sua avó, temos algumas exceções louváveis no mundo corporativo que já compreenderam essa noção. A 3M, por exemplo, que se concentra enormemente em desenvolvimento de novos produtos, mantém uma rede imensa de colaboração entre todos os pesquisadores, engenheiros e demais profissionais de suas unidades. A empresa possui um sistema integrado de troca de informações que permite a um cientista acessar, em tempo real, outros projetos realizados ou em andamento. Ele pode tirar dúvidas e pedir auxílio a colegas de qualquer lugar do mundo. Não é à toa que a companhia é líder mundial em seu segmento.

Uma postura como essa é fundamental no planejamento e na tomada de decisões. Por mais que o líder domine as informações sobre os processos da área que lidera, ele não vive a rotina de todos os níveis.

Aí você me pergunta: vou ter que chamar todos os funcionários da empresa para decidir se invisto em uma expansão? Claro que não. Sua empresa não é um soviete russo. Três mil e duzentas pessoas discutindo e votando não é algo muito produtivo. Mas crie mecanismos que garantam um fluxo contínuo de troca de informações entre todos os níveis hierárquicos para gerar melhores resultados.

5. Motive

Não existe estratégia empresarial sem pessoas. E cada indivíduo é um universo, com opiniões, visões de mundo, sonhos, expectativas distintas e bem particulares. O que move essas pessoas? Aonde elas querem chegar? Por que vão querer caminhar a seu lado? Elas enxergam a estratégia do mesmo jeito que você?

Em *La casa de papel*, o plano do Professor, no fim das contas, era colocar todo mundo dentro de uma ratoeira. Lá dentro, todos passaram por várias provas de fogo. Como ele conseguiu segurar tudo até o fim? Motivando.

As aulas no casarão, antes do assalto, não foram simplesmente sessões de transmissão de informações. Aquele período foi uma grande dinâmica motivacional. Sim, isso mesmo. Embora ninguém tenha precisado se abraçar, pular, gritar ou rir segurando a barriga, o Professor motivava os participantes a todo instante.

Para sua estratégia funcionar, além de compreender o processo em si, você precisa conhecer as pessoas que a executarão. Aqui retornamos à importância de selecionar os melhores. E isso não significa simplesmente escolher o funcionário exemplar da empresa – para determinadas atividades, talvez ele não seja tão bom quanto o rapaz caladinho que às vezes todo mundo esquece que está ali.

Liderar é ter esse *feeling*. E estratégia exige liderança. Uma liderança eficiente, capaz de coordenar o time que vai conduzir o plano.

6. Sistematize seus erros

Aprendi com Mintzberg e carrego comigo para a vida: planos não são perfeitos, erros acontecem e devo aprender com eles. Tá, isso eu poderia ter aprendido sem ter lido esse autor. Mas o juízo de proceder à sistematização dos erros em um processo de aprendizagem em tempo real, durante a execução do plano, esse entendimento veio dele.

Eu já errei muito. Continuo errando e ainda vou errar bastante até o fim da minha vida. Se eu não cruzar com o erro de vez em quando em uma esquina, na verdade não estou me movendo, é só um filme passando pela janela dos sonhos. Erre você também. Mas organize suas falhas de maneira clara, objetiva e eficiente para que possa aprender com elas e evitar que se repitam da mesma forma.

Não existe nada mais incômodo do que retrabalho no processo de execução de qualquer projeto. O retrabalho acontece muitas vezes porque há um parafuso solto em algum lugar que, quando cai, a gente só o encaixa e segue em frente até ele cair novamente (e nós repetirmos a mesma ação).

Se o parafuso cair uma vez, descubra por que ele caiu e encontre um jeito de fixá-lo corretamente. Mesmo que isso demande uma redução no ritmo de trabalho e pare alguma operação, será melhor perder um tempinho ali e resolver logo do que viver parando toda hora para fazer gambiarras.

Ao longo da execução de qualquer projeto, costumo manter uma planilha na qual vou anotando as falhas, os pontos críticos, as possibilidades de melhoria. Quando parto para o próximo, esses erros já não acontecem mais. E é assim que vou aperfeiçoando meus processos a cada nova realização. Com esse hábito, você acaba construindo uma visão ampla (lembra-se dela do primeiro capítulo?) sobre seu trabalho e consegue prever contratempos com mais facilidade. Em vez de correr atrás, você sai na frente.

Em *La casa de papel*, o grande mérito nesse quesito não é do Professor, mas de Nairóbi. Obsessiva por eficiência, monitora de perto o processo de fabricação das notas e se mantém atenta a todos os detalhes, corrigindo erros e otimizando a produção.

Lembre-se: erros devem ser convertidos em lições. Cometer o mesmo erro pela segunda vez não é tolerável.

7. **Dê cada passo em seu momento**

Não tente iniciar a execução do seu plano como se fosse uma mangueira furada, jorrando água para todos os cantos. Isso eu aprendi na gestão de projetos. Há tarefas que, obviamente, podem (ou até mesmo devem) ser executadas paralelamente. Mas todo plano tem etapas e, para uma ser iniciada, é importante que a anterior seja concluída. Tem gente que faz diferente e dá certo. Mas eu não recomendo e tenho bons argumentos para isso.

Imagine que você está envolvido na construção de um prédio cujo estacionamento será no subsolo. Por uma questão comercial, é preciso concluir com urgência as unidades comerciais que não dependem do estacionamento. Então você, gênio, decide erguer um edifício de quinze andares sem o estacionamento no subsolo e o entrega. Dá para cavar o solo para colocar uma garagem ali embaixo depois? A depender de como foram construídas as fundações, pode até funcionar. Mas há riscos. Para minimizá-los, você vai ter que investir alto. E aí vem a grande questão: a inversão das etapas é um bom negócio no fim das contas? Essa é uma situação hipotética que, na prática, ninguém seria louco de levar adiante (*espero!*). Mas ela nos ajuda a ver com clareza que queimar etapas pode se reverter em problemas complicados.

Outro exemplo: imagine que seu plano é a organização de uma festa de aniversário. Você monta a estratégia direitinho, define tudo o que tem que fazer, faz seu cronograma, delimita os prazos, divide as tarefas e assim por diante. Com os garçons, o combinado é pagar metade na contratação e o restante logo após a festa. O mesmo acordo é estabelecido com os responsáveis pela decoração, com o rapaz que vai fazer os drinques e com o DJ. Mas você é gente boa, sente confiança nos parceiros, quer se livrar logo de uma responsabilidade futura e, já que está mesmo com a mão no bolso, resolve pagar tudo de uma vez. Ótimo. Na hora da festa, ninguém aparece. E aí? Vai chamar a polícia, xingar nas redes sociais, encher a página de todos eles contando o golpe? Beleza, faça isso mesmo. É um ato muito nobre tentar evitar que os vigaristas façam o mesmo com outras pessoas. Mas nada disso vai fazer a sua festa acontecer.

Por isso, evite desmontar seu plano ao longo da execução (ou criar um plano que pareça um quebra-cabeça). Dê um passo de cada vez, respeitando o processo. Aqui vale mais uma vez a regra do *timing*: nem muito cedo, nem muito tarde. Seja pontual.

8. **Mensure e reavalie constantemente**

Retornamos aqui à estratégia artesanal de Mintzberg. Imprevistos vão acontecer e, para o plano não falhar, você precisa agir rápido e com precisão. Por isso, monitore e faça avaliações constantemente para ter uma visão clara de como seu projeto está sendo executado. As tais microestratégias só serão funcionais se você tiver clareza sobre os obstáculos, as falhas, os imprevistos ou o que mais possa ameaçar o traçado inicial.

Em contextos desse tipo, antecipar-se é sempre a melhor postura. Consertar o buraco antes que alguém caia nele. Se você apostar na complacência dos deuses e ficar tomando champanhe na *jacuzzi*, confiando que todo mundo vai enxergar a cratera e desviar, a chance de se engasgar é alta, porque o susto será grande.

Use os números a seu favor, monitore o mercado, fique de olho nos movimentos de todos os *stakeholders* envolvidos. Se o projeto for grande, com muitas atividades e etapas, delegue-as a gente competente, pois fazer sozinho é humanamente impossível. Cada gerente ou supervisor deve ficar atento ao setor que lhe cabe e manter um canal direto e ágil de comunicação com a direção-geral.

INTELIGÊNCIA EMOCIONAL, MAIS UMA VEZ

Já falamos sobre isso. Que chato esse cara! Não tem mais assunto? Tenho, tenho muitos, inclusive. Não chegamos nem à metade do livro. Mas precisamos retomar esse assunto porque é aqui, no capítulo sobre estratégia, que amarramos as duas pontas da linha que começamos a tecer lá atrás. Afinal, acho que liderança, estratégia e inteligência emocional são questões intrinsecamente relacionadas.

Já ressaltamos e deixamos muito claro que um líder precisa saber desenhar uma estratégia. Estratégia não existe sem liderança. E nenhuma das duas coisas vai muito longe sem inteligência emocional. A explicação é simples: nada é mais eficiente para afundar uma iniciativa do que a falta de controle do líder e dos liderados sobre suas emoções. Vimos tudo isso pela perspectiva do líder. Mas agora precisamos olhar para o grupo.

Conheci uma organização que conseguiu alcançar resultados que nenhum de seus concorrentes sequer sonhou atingir. Sua estratégia era exemplar. Entendia mais do que todas as demais os conceitos de Porter e de Mintzberg e os utilizava de uma maneira tão bem integrada que ficava até difícil acreditar que se tratava de visões originalmente antagônicas entre si. No entanto, essa organização esteve prestes a falir muitas vezes por causa do destempero de um de seus gestores.

Você também conhece essa organização. É a Marquina's Corp. Sim, a turma do Professor.

Tóquio por um bom tempo me fez questionar sua presença na série. Ela quebra regras, questiona lideranças e toma decisões impulsivas, tornando-se o principal ponto de tensão dentro da casa.

Depois do desfecho da segunda parte, analisando friamente, entendi sua posição lá dentro. Seu destempero e sua impulsividade, na verdade, foram muito úteis para provocar rearranjos internos.

SPOILER!

Tóquio, ainda no treinamento, envolveu-se emocionalmente com Rio, apesar da regra de não se relacionar pessoalmente com ninguém do grupo. Na chegada à casa da moeda espanhola, quebrou mais uma regra, a mais importante, logo de cara: não ferir ninguém. Mais adiante, resolveu se rebelar contra a liderança de Berlim e foi (literalmente) jogada para fora da Fábrica Nacional de Moneda y Timbre. Acabou presa. Revelou o nome verdadeiro do Professor à polícia. Depois de ser resgatada, não conseguiu esperar o contato do líder, teve a brilhante ideia de voltar para o local do assalto, o que provocou a morte de Moscou.

Todos esses atos de destempero, na verdade, acabaram sendo muito úteis para provocar rearranjos internos – como a ascensão de Nairóbi ao poder no momento em que Berlim ficou mal (literalmente) da cabeça. Sua impulsividade também foi essencial em momentos muito críticos, como na fuga de reféns. A porta só foi fechada porque a louca se meteu no meio das balas para conseguir chegar à metralhadora. Algo semelhante aconteceu durante a fuga dos assaltantes, quando a polícia conseguiu invadir o prédio. Sem contar que sua presença foi fundamental para manter Rio no jogo, um jovem imaturo, sem envolvimento em grandes crimes, que tratava aquilo ali como uma grande brincadeira. Rio era o elo mais fraco, e quando os negociadores lhe ofereceram vantagens para trair os colegas só não cedeu porque se lembrou do que a namorada havia lhe dito no banheiro: se ele resolvesse trair os companheiros ela mesma o mataria (um docinho de namorada, hein?).

Para o Professor, funcionou. O destempero era parte do plano. Mas, se você não estiver organizando um novo assalto à casa da moeda da Espanha, é melhor garantir que seu time esteja emocionalmente bem equilibrado. Um tipo Tóquio tocando o terror na sua estratégia não ajudará em nada.

Os pilares básicos da estratégia, sobre os quais todas as outras questões se assentam, são:

Visão ampla: sim, essa mesma competência do líder precisa estar presente no processo de definição e execução da estratégia. O líder precisa trabalhá-la diariamente porque ela é necessária para, basicamente, todas as tarefas que ele comanda. No planejamento estratégico e na execução do projeto, porém, não podemos nos restringir ao olhar do líder, por mais acurado que seja. Visão ampla em estratégia remete àquilo de que falamos há pouco neste mesmo capítulo: envolver o time e aproveitar ao máximo os conhecimentos e habilidades de cada um. Uma "visão ampla coletiva" é muito mais eficiente e verdadeiramente ampla do que a de qualquer líder sozinho.

Exequibilidade: o plano não pode ser a reprodução maluca do sonho. Lembra-se do que falei sobre matar sua grande ideia? É isso. O sonho aponta o caminho. O plano analisa se ele é viável, identifica os obstáculos e traça as rotas. O plano precisa ser realista e concentrar-se totalmente no "como fazer". Não há espaço para achismos e tudo precisa ser montando com base em análises, tanto numéricas como de situações, ações, contextos e pessoas. Ser exequível quer dizer também ser claro, objetivo, consistente e bem embasado.

Sabe o que une esses dois pilares? O fator comum a ambos é a inteligência emocional.

Sem inteligência emocional, nem o líder nem a equipe conseguem enxergar o que há além do papel. Em *La casa de papel*, há muitos indícios de que Berlim fez parte do planejamento inicial do assalto. Mas por que o Professor manteve-se do lado de fora, assumiu o comando e guiou tudo? Berlim enfiaria os pés pelas mãos rapidamente.

SPOILER!

Foi a falta de visão de Berlim que o motivou a mandar Denver matar Mónica Gaztambide, por exemplo. Ele não conseguiu enxergar o todo porque agiu impulsivamente, movido por emoções que estavam fora de controle. Agiu da mesma forma quando colocou Tóquio para fora do local do assalto.

As microestratégias de reparação do plano original não são possíveis sem inteligência emocional. A reação a algumas derrotas pode ser devastadora sem inteligência emocional, desmotivando completamente a equipe.

CRENÇAS

Se você perguntasse a cada um dos assaltantes de *La casa de papel* como realizariam o assalto à casa da moeda espanhola, as respostas seriam, muito provavelmente, parecidas com as dadas a seguir:
- **Tóquio**: pegaria uma metralhadora, mataria todo mundo lá dentro e levaria todo o dinheiro disponível em um caminhão.
- **Rio**: acharia melhor roubar *bitcoins* sem sair de casa, pois essa história de notas de papel anda muito *démodé*.
- **Denver**: se juntaria a alguém que tivesse um plano.
- **Moscou**: abriria um túnel para dentro da Fábrica Nacional de Moneda y Timbre e entraria e sairia por ele.
- **Nairóbi**: armaria um esquema com algum funcionário da produção para se infiltrar e roubaria tudo que coubesse sob a roupa.
- **Oslo e Helsinque**: entrariam atirando em tudo e em todos, pegariam o máximo de dinheiro que pudessem e explodiriam uma bomba no local assim que saíssem.
- **Berlim**: nem Deus sabe o que se passa naquela cabeça.

As chances de o grupo concretizar o roubo e sair com o dinheiro sem ir direto para a prisão seriam mínimas se o planejamento ficasse a cargo de algum deles. O motivo? Todos seriam movidos por suas crenças. De um lado, não enxergariam outras possibilidades. Do outro, não conseguiriam perceber as falhas de suas ideias.

Quando conversaram sobre o plano durante a preparação para o assalto, nenhum dos integrantes do grupo cogitou a possibilidade de não roubar dinheiro existente, e sim fabricar notas novas. Todos agiam com base em seu círculo limitado de informações e conhecimentos e enxergavam seus pequenos mundos como representações do todo.

Crenças enraizadas são bloqueios em nossa vida, e não poderia ser diferente quando o assunto é estratégia. Na verdade, não existe estratégia se todo o plano foi delimitado pelos muros das convicções de quem lidera e dos que executam.

À exceção de Raquel Murillo, que sempre demonstrou perspicácia e uma visão mais ampla que a de seus companheiros, todos no Q.G. policial agiam com base em suas experiências prévias. Confrontados com um estrategista nada convencional e um plano digno da imaginação de Salvador Dalí, ninguém conseguia antecipar os passos do Professor. Só perceberam que o objetivo era ganhar tempo depois de vários dias de assalto. Quando Raquel sugeriu pela primeira vez que os assaltantes estavam, na verdade, fabricando dinheiro, ninguém deu bola.

Como Michael Porter postula nas cinco forças das quais falamos lá atrás, no mundo dos negócios haverá sempre um concorrente trabalhando contra sua estratégia, da mesma maneira que na batalha entre a polícia e os vermelhinhos mascarados de Dalí. Se você joga de inocente, o esperto o devora.

Para romper barreiras e ativar aquele turbo que nos joga a alguns quilômetros de distância do concorrente, é preciso enxergar além das crenças. É olhando para o absurdo, para o indecifrável, para o não explorado que floresce a criatividade. A criatividade é o combustível da inovação. E a inovação é a transformação efetiva que vai lhe garantir a dianteira e mantê-lo lá. Não vamos nos aprofundar nesse assunto agora porque temos um capítulo só para isso adiante.

Por ora, basta que você compreenda a importância de se livrar das crenças limitantes e perceba como elas atrapalham seu caminho.

Mas como se livrar delas? Abrindo a mente, expandindo a visão, testando, errando, sistematizando erros, ouvindo outras opiniões, descentralizando o processo de análise para tomada de decisões. Já falamos sobre isso no capítulo de liderança. Lembra-se do que falei sobre ler livros que não sejam de negócios? É bem por aí mesmo.

DO AND DON'T EM *LA CASA DE PAPEL*

Consegui a proeza de usar três idiomas nesse subtítulo e, talvez, não ser compreendido em nenhum deles. Deixe-me explicar: quero deixar aqui algumas lições sobre o que você deve (*Do*) e também o que não deve (*Don't*) fazer em estratégia, com base em exemplos de *La casa de papel*.

Ao longo da série, há ótimos exemplos de planejamento e execução. Mas temos também muitas falhas, inclusive no roteiro do metódico e quase perfeito Professor. A seguir, vamos falar sobre alguns pontos que ainda não abordamos por aqui.

Vejamos.

O que se deve fazer

Desconfiar

É verdade que Ángel só insistiu em apurar a vida do tal Salva por ciúme. Mas, de fato, era muito estranho um cara surgir na vida da investigadora no meio da operação, aparecer no Q.G., ter acesso a locais e informações que nenhum civil teve. E só o assistente da inspetora desconfiou. Se não fosse seu desespero (mais uma vez, a boa e velha falta de inteligência emocional), talvez o desfecho fosse diferente (*óbvio que não seria, senão a série acabaria antes da hora!*).

Automatizar o que pode ser automatizado

Aqui o exemplo não vem do *front*, mas da cozinha de Raquel Murillo. Sua mãe resolve esconder seus esquecimentos da filha e lidar com o problema anotando suas lembranças em pedaços de papel. Com esse recurso, ela chega ao fim da série sem que a filha descubra – pelo menos nas cenas exibidas – seu problema. É um exemplo simplório, mas podemos usá-lo para ressaltar que hoje podemos utilizar as tecnologias para compensar deficiências ou até mesmo para agilizar processos. Quando os Estados Unidos iniciaram sua corrida espacial, vários computadores eram necessários (estou me referindo às pessoas que computavam, ou seja, faziam contas, não às máquinas) para que os cálculos de rota de saída e reentrada dos foguetes fossem estabelecidos. Na melhor das hipóteses, os cálculos levavam horas. Hoje, seu celular é capaz de fazer muito mais em segundos. Para o planejamento estratégico, isso representa redução de gastos e maior agilidade na execução. Isso se chama eficiência.

Reparar fissuras

Denver foi representado o tempo todo como o sujeito mais bobo e quase tão inocente quanto Rio – que se descolou do pelotão dos, digamos, menos providos de inteligência por conta de sua habilidade com programação. Mas talvez a atitude de Denver de poupar a vida de uma refém tenha sido o ato desprestigiado mais importante para o sucesso do plano. Se Raquel Murillo não a tivesse encontrado na revista aos reféns ou se algum dos que escaparam revelasse sua morte, a polícia invadiria o prédio muito antes do que aconteceu. Na execução de um plano, alguém pode fazer besteira. Antes de entrar em uma luta burocrática para denunciar, aja e corrija o erro o mais rápido possível. Mais do que encontrar culpados e apontar dedos, a missão de todos é fazer com que o objetivo do plano seja atingido.

Não perder tempo em becos sem saída

Buscar o melhor caminho é sempre importante em qualquer plano. Mas perder tempo tentando abrir uma porta que não se abre pode acabar exigindo tantos recursos e tanto tempo quanto o caminho mais longo. Sem contar que isso também pode pôr o projeto a perder, comprometendo o *timing* da execução. Por isso, se vir que algum caminho não será eficiente, dê a volta. Dentro da Fábrica Nacional de Moneda y Timbre, quantas vezes diferentes integrantes não tentaram convencer Tóquio a gerar menos conflitos? Mediante a falta de resultados, desistiram. Embora quase ninguém simpatizasse mais com Berlim, praticamente todos concordaram com sua ação para resolver o problema.

O que não se deve fazer

Levar um destemperado para seu time

Embora Tóquio tenha feito a diferença em alguns momentos, eu, no lugar do Professor, não a teria levado. O risco foi muito grande. Na vida real, as chances de suas loucuras colocarem o plano a perder seriam muito maiores que a importância de seus atos positivos. Pessoas impulsivas, passionais, individualistas, com dificuldade de trabalhar em conjunto e de respeitar hierarquias, por mais fenomenais que sejam na execução de suas tarefas específicas, são tóxicas demais para qualquer projeto em grupo.

Agir por conta própria

Em determinado momento da série, a inspetora Raquel Murillo resolveu agir sozinha. Isso só complicou sua vida. Em qualquer plano, por mais que você sinta que sua decisão esteja certa, compartilhe suas ideias. Os outros precisam saber o que você está fazendo. Assim, todos podem ajudar, nem que seja mostrando o que você não está vendo, inclusive que a ideia pode não ser tão boa quanto parece.

Tentar manipular os *stakeholders*

Na série, uma das reféns resolveu posar de apaixonada para tentar salvar a própria vida quando achou que todos os reféns seriam executados. O que ela fez foi tentar manipular o oponente. No mundo real, a manipulação pode se dar sobre o cliente, o concorrente ou o mercado como um todo. Mas isso sempre acaba dando errado. Um grande grupo brasileiro que atuava nos setores de infraestrutura, mineração, petróleo e gás tentou fazer isso e acabou vendendo a 15 centavos ações que chegaram a valer cerca de 25 reais.

Confundir o pessoal com o profissional

Na estratégia corporativa, a organização é o mais importante. Seus interesses pessoais e os do time devem ser levados em conta, obviamente: nenhuma força entra em uma guerra sem avaliar e mensurar o que poderá colher com os resultados. O sucesso na operação pode me render algum bônus? Meu bom desempenho pode render uma promoção? Posso aproveitar a iniciativa para conseguir mais destaque e expressão pessoal no mercado? Tudo bem. Tudo isso é legítimo, e a própria liderança precisa estar atenta a esses fatores. Dificilmente encontramos no mercado um funcionário que simplesmente cumpre seu expediente esperando que vai fazer aquilo para o resto da vida. Mas o resultado do projeto é a prioridade, e as questões pessoais não podem ser postas acima disso. Arturo Román demonstrou-se especialista em quebrar essa regra. A todo tempo tenta ser o cérebro de uma operação de fuga dos reféns, mas sempre visando a seus próprios interesses.

Viu só como estratégia é algo amplo e cheio de melindres? Mas ainda tem mais.

UM PLANO CHINÊS

Como vencer uma guerra sem desembainhar a espada? Essa pergunta direta, porém nada simples, diz muito sobre o modelo de estratégia que transformou a China em uma nação de dimensões colossais, capaz de exercer influência sobre o mundo todo durante milênios. É claro que ela não esgota o que precisamos saber sobre a estratégia oriental. E é claro que os chineses não se tornaram o que são sem usar (e muito) a espada e outras armas (tecnologias) de guerra. Mas essa lição cabe muito bem aqui.

As mais famosas obras chinesas sobre estratégia de guerra – *A arte da guerra*, de Sun Tzu (cuja própria existência é questionada por muitos pesquisadores, que acreditam que seus escritos são, na verdade, uma coletânea de registros de diferentes generais, ao longo de séculos), e *O tao da guerra*, de Er-Hu, o general da dinastia Zhao – convergem em uma posição: antes de tudo, tentar vencer sem atacar. Não vamos entrar aqui em fatores geopolíticos, mas essa visão pode explicar muito bem por que a China se converteu em um império tão mais sólido (mesmo com as quedas e fragmentações ao longo de sua história) do que o mongol, de Gengis Khan.

O paralelo entre os chineses e os mongóis segue mais ou menos a mesma lógica que poderíamos aplicar a assaltantes comuns e aos Dalís mascarados do Professor. A regra número 1 do plano do Professor era: não ferir ninguém, roubar sem dar um tiro. Como assim, se rolou muito *chumbo grosso* ao longo de toda a série? Vamos lá, não leve tudo tão ao pé da letra. O plano do Professor foi pacífico na medida do possível, assim como a expansão chinesa em diferentes épocas.

Evitar o conflito, tratar bem os reféns e gerar o mínimo de danos ao longo do processo também faziam parte da lista de objetivos do Professor. Foi desse modo que os assaltantes conquistaram o respeito da maioria dos reféns (unanimidade não existe) e, principalmente, da opinião pública. Com isso, amarraram a possibilidade de ação da polícia e garantiram tempo para a produção de muito dinheiro.

Como assaltantes comuns agiriam? Entrariam promovendo o terror, não hesitariam em atirar, roubariam uma quantia ínfima se comparada ao volume produzido pelos Dalís do Professor, sairiam pela porta da frente, seriam perseguidos pela polícia, gerariam danos à cidade e acabariam presos ou mortos.

Os mongóis agiam mais ou menos assim. Obviamente, Gengis Khan tinha sua estratégia. Não houve na história um imperador capaz de dominar tantos territórios simultaneamente como ele. Mas Khan agia, a princípio, com a estratégia do medo (quem sabe Maquiavel não o tivesse em mente quando escreveu que, diante da necessidade de optar, era preferível o Príncipe escolher ser temido a ser amado). Em seus territórios, é verdade, havia certa liberdade comercial e até mesmo tolerância a diferentes "ideologias". Mas tudo, é claro, sob as rédeas do implacável soberano, temido em todos os lugares.

Por que a China conseguiu manter basicamente o mesmo território de séculos atrás e o império mongol é agora apenas história? Mais uma vez: pesaram diversos fatores. Mas a estratégia extremamente focada na conquista, sem dúvida, teve grande peso nesse desfecho.

Enquanto os chineses conquistavam sem destruir – ou destruindo o mínimo possível –, os mongóis arrasavam as terras por onde passavam. No quesito eficiência, 1×0 para os chineses.

Na China, sucederam-se várias dinastias. O império chegou a ser dividido entre reinos. Houve a reunificação. Outras quedas. Outros renascimentos. Foram diferentes lideranças à frente de cada momento. E a estratégia sempre funcionou. Já entre os mongóis, a figura de Gengis Khan estava diretamente ligada à integridade dos seus domínios. Tanto que depois de sua morte o império começou a ruir. Seus sucessores entraram em conflitos sem-fim pelo trono e tudo acabou desandando.

O plano do Professor é muito mais parecido com o chinês do que com o mongol. Embora compreendesse etapas agressivas – como usar uma metralhadora Browning para assegurar que a polícia não conseguisse invadir o prédio –, não buscava promover o conflito. E, tendo sido muito bem traçado, poderia ser executado sem a presença do líder, caso ele fosse substituído por outro tão competente como o anterior.

Esse Professor é mesmo um gênio!

Enfim: de Sun Tzu a Mintzberg, deu para perceber que estratégia é o ponto-chave para qualquer iniciativa vencedora, certo?

Espero que este capítulo o ajude a avaliar a forma como atua e também a identificar arestas e apará-las, para que seus resultados sejam cada vez melhores.

Agora, prepare-se para o próximo assunto: negociação, que ainda tem muito a ver com o que analisamos aqui. Afinal, uma boa negociação exige estratégia!

O QUE APRENDEMOS NESTE CAPÍTULO

Vimos que a estratégia é a essência de qualquer plano de crescimento, descobrimos que a estratégia corporativa é mais recente do que imaginávamos, conhecemos as principais teorias de importantes estudiosos da área, como Michael Porter e Henry Mintzberg. Também vimos dicas para se montar um plano perfeito, entendemos o poder da inteligência emocional nesse campo e também colhemos exemplos de *La casa de papel* sobre o que fazer e o que não fazer quando o assunto é estratégia. Na verdade, aprendemos tudo isso tendo como pano de fundo a guerra entre o exército do Professor e as forças policiais.

3. NEGOCIAÇÃO

"Você não acha que a nossa roupa diz muito sobre a nossa personalidade?"

O JOGO DA PERSUASÃO PARA O RESULTADO PERFEITO

Raquel entra na tenda ainda em busca de informações sobre o que, de fato, estava acontecendo. Atentamente, escuta as primeiras impressões do subinspetor Ángel sobre o que aparentava ser um assalto frustrado. Ela tinha sido chamada às pressas para comandar a linha de frente da força policial e tenta rapidamente juntar mais peças desse quebra-cabeça que ainda não dava pistas da imagem a ser formada. Mas era preciso iniciar o jogo. Como em um ritual próprio, Raquel prende os cabelos com um pequeno lápis apontado, ajusta precisamente o microfone do *headset* na altura adequada para sua boca e inicia o telefonema.

Do outro lado, uma voz educada e serena atende. O Professor, mentor do assalto, interage de forma inesperada para a situação. Busca cumprimentar todos que estavam na tenda com Raquel e pergunta o que ela está vestindo. Sua voz mostra uma segurança peculiar, milimetricamente calculada. Uma surpresa momentânea para Raquel, que ainda não sabia que aquele contato seria apenas o início de um processo de negociação longo e com diversas reviravoltas – e uma agradável surpresa para os espectadores que acompanhavam a série, que passaram a testemunhar uma aula de negociação toda vez que os dois interagiam ao telefone. A escolha de palavras, o tom de voz, a pressão mútua, os objetivos, as intimidações, as concessões, a persuasão, enfim, foram apresentadas muitas das diversas etapas do ato de negociar.

Assim como em uma partida de xadrez, em um processo de negociação cada um mexe as peças de acordo com as circunstâncias e jogadas da outra pessoa. Uma jogada errada pode tirar uma peça do jogo, mas diversas jogadas erradas significam o fim da partida – ou, no caso, uma negociação malsucedida. Para Raquel, o que valia era a vida dos reféns, que deveriam sair ilesos. Para o Professor, o bem mais precioso era outro: tempo. Era preciso que o assalto durasse tempo suficiente para a quadrilha produzir os dois bilhões de euros previstos e também terminar a escavação do túnel que a levaria com segurança para fora da casa da moeda espanhola.

O diálogo entre a inspetora e o Professor é um dos pontos altos sobre negociação na série, mas o ato de negociar acontece em praticamente todos os momentos na vida real, não somente na hora de fechar negócios e contratos ou salvar a vida de reféns em assaltos a banco. Negociamos com nós mesmos para convencer o corpo de que ele não precisa daqueles dez minutos a mais de sono antes de nos levantarmos para ir ao trabalho, por exemplo. Existe a negociação mental de sair ou não do regime e comer aquela sobremesa depois do almoço. Ir para a academia com preguiça, então, nem se fala. Procrastinar mais um pouco ou começar um trabalho chato com prazo de entrega curto? Comprar ou não aquela roupa nova linda da qual não precisamos, mas que está em promoção? Fazemos esse exercício mental, essa negociação interna em muitos momentos do nosso dia, analisando pontos e variáveis que nos fazem tomar uma decisão.

Dentro de casa, encontramos mais negociação. Um simples copo de água trazido por alguém que está indo até a cozinha pode virar moeda de troca para outro pedido. Com os filhos, as últimas décadas têm feito essa ação de negociação ganhar mais relevância. Se antigamente as regras eram determinadas pelos pais, que "obrigavam" os filhos a cumprir ordens sem uma explicação, hoje o comportamento é diferente. As mudanças da própria sociedade fazem com que as crianças queiram uma explicação razoável para tudo e que busquem ter suas reivindicações atendidas. Um "não" é negociado para virar um "sim" até a última gota de lágrima infantil ou o esgotamento da paciência dos pais.

De certa forma, a internet e a cultura mais globalizada ajudaram a quebrar o paradigma de o topo da pirâmide de poder (os pais, o chefe, o governo) ditar ordens e aos demais restam aceitá-las e cumpri-las passivamente. As pessoas querem fazer parte da decisão e buscam insistentemente seus direitos ou sonhos. Quem imaginaria que uma greve de caminhoneiros fosse capaz de paralisar o país, além de colocar a mais alta cúpula do governo na corda bamba? A integração de novas tecnologias e a diminuição da passividade do cidadão médio têm deixado o mundo mais horizontal. Vivemos uma nova revolução também nesse sentido, o que faz com que entender o processo de negociação se torne necessário a todos, seja em casa, lidando com a família, seja no trabalho, com investidores.

DE VOLTA À SALA DE AULA

Até aqui, espero que o leitor tenha compreendido que negociar está intrinsecamente ligado a convencer alguém – que pode ser nós mesmos – nas mais variadas situações. Isso faz com que o ato de negociar seja uma característica inerente ao ser humano, pois é parte da vida de todos. Mas por que será que algumas pessoas parecem ter nascido com o dom para negociar? Teriam uma habilidade natural? Nasceram realmente com essa característica? Talvez sim, talvez não. A ciência ainda não evoluiu a ponto de nos dar a resposta. Entretanto, sabe-se que, definitivamente, todos nós podemos nos tornar negociadores melhores e mais influentes, com ou sem dom natural. E essa constatação é apontada por dezenas de pesquisas e experimentos na área. Há mais de quatro décadas, temas como negociação e influência são estudados e analisados em diferentes campos do conhecimento, principalmente na Administração e na Psicologia, e hoje é consenso que essas habilidades podem ser treinadas, aprendidas e reproduzidas. Isso revela que a utilização de técnicas e metodologias específicas pode transformar qualquer pessoa em um negociador eficaz e também tornar as empresas mais capazes de convencer seu público-alvo de que é interessante adquirir seus produtos ou serviços.

Um dos pesquisadores que defendem essa tese é Robert Cialdini. Conhecido como uma das maiores autoridades na abordagem da persuasão e professor emérito na Universidade do Estado do Arizona, Cialdini apresenta como pilar de suas pesquisas seis princípios que tornam marcas e pessoas mais persuasivas e, consequentemente, negociadoras bem-sucedidas: reciprocidade, escassez, autoridade, compromisso, simpatia e consenso.

Algum tempo atrás, entrevistei Cialdini sobre a persuasão se transformar em uma arma poderosa, principalmente nesta nova era de informação, e ele resumiu os princípios em uma sequência: "[…] o primeiro é a reciprocidade. As pessoas devolvem o tipo de tratamento que recebem de você. Em segundo lugar está a escassez. As pessoas vão tentar aproveitar as oportunidades que você tem a oferecer se elas forem raras ou estiverem diminuindo em disponibilidade. O terceiro é a autoridade. As pessoas são mais facilmente persuadidas se você demonstrar conhecimento e domínio do tema. O quarto é o compromisso. As pessoas vão sentir a necessidade de cumprir o seu pedido se ele for coerente com o que elas se comprometeram publicamente na sua presença. Em quinto lugar está a simpatia. As pessoas preferem dizer 'sim' ao pedido de alguém que elas conhecem e de que gostem. Não há surpresa nisso. E o sexto é o consenso. As pessoas estarão propensas a dizer 'sim' ao seu pedido se você lhes der provas de que pessoas como elas dizem 'sim'".

Durante a movimentação na Fábrica Nacional de Moneda y Timbre, tanto o Professor quanto os outros integrantes da quadrilha, além da própria cúpula de policiais, usaram e abusaram desses princípios. Entretanto, sobre Sergio Marquina, Raquel Murillo e companhia vamos falar em um segundo momento; antes, apresento outras histórias que vão ilustrar a força desses princípios de persuasão na prática, a começar por uma história do início do século XX.

UMA AMIZADE PRESIDENCIÁVEL

Era o período da República Velha. O Brasil inaugurava uma política externa diferente do isolacionismo praticado durante o Império. A intenção era participar mais ativamente do cenário internacional, aumentar o prestígio do país junto a outras nações e, com isso, obter acordos e benefícios para o país. Para isso três grandes iniciativas do governo eram primordiais: a inversão do eixo diplomático da Europa para os Estados Unidos, a demarcação de fronteiras por diplomatas e a participação mais ativa do país em assuntos mundiais.

Essas novas diretrizes levaram o Brasil a ser a única nação sul-americana a atuar na Primeira Guerra Mundial. Apesar de ter sido uma participação discreta, era unânime que isso poderia ser decisivo para a construção do prestígio internacional, sobretudo com os Aliados vencedores.

No pós-guerra, para a Conferência de Paz de 1919 – na qual foram estabelecidos a Liga das Nações e o Tratado de Versalhes com as principais potências mundiais –, era necessário encontrar um representante do Brasil que tivesse o perfil de um exímio negociador para conseguir todos os objetivos previstos. O nome escolhido para chefiar a delegação foi Epitácio Lindolfo da Silva Pessoa. Articulador nato, Epitácio Pessoa já tinha mostrado suas credenciais ao longo da carreira em cargos como ministro da justiça, ministro do Supremo Tribunal Federal, procurador-geral da República e governador da Paraíba.

Ombrear-se a grandes potências em um pós-guerra mundial, durante uma reunião cujo objetivo real de cada país era atender a seus próprios interesses, não seria tarefa fácil para o Brasil, principalmente porque o país ainda não gozava de plena credibilidade junto às outras nações. Epitácio Pessoa sabia bem disso e buscou a ajuda do país com a maior influência para conseguir espaço. A solução estava em estreitar relações com os Estados Unidos, já considerados a maior nação do mundo, principalmente pelo desfecho da guerra.

Inicia-se, então, um processo de aproximação e cultivo de uma boa relação de amizade e simpatia entre Epitácio Pessoa e a figura do presidente estadunidense Woodrow Wilson. Por meio de visitas pessoais e cartas, o brasileiro garantia o apoio do país nas decisões e interesses dos Estados Unidos com a expectativa de alinhar uma relação recíproca. Sempre com votos a favor dos americanos, essa política de boa vizinhança reforçada por Epitácio funcionou muito bem e fez com que os nossos vizinhos do norte, muitas vezes, oferecessem o mesmo tratamento e intercedessem a favor das questões brasileiras na Conferência. Todas essas articulações foram imprescindíveis para que Epitácio Pessoa alcançasse as vantagens que o país desejava, entre elas, o assento nas mesas de negociações ao lado de Estados Unidos, Grã-Bretanha e França; a vitória sobre os embates dos navios alemães (e anexação deles à frota brasileira); e o reconhecimento da dívida do café confiscado pela Alemanha.

Essas negociações vitoriosas na Conferência fizeram com que Epitácio Pessoa se tornasse ainda mais popular e conquistasse um feito inédito. Após o fim do governo provisório do presidente Delfim Moreira, ele foi escolhido para assumir o cargo mais alto do país, mesmo estando na Europa como representante brasileiro na Cúpula. Assim, Epitácio Pessoa foi o primeiro presidente brasileiro eleito durante uma viagem ao exterior.

Pessoa, de fato, não foi apresentado a Robert Cialdini e seus princípios da persuasão, mas já conhecia muito bem o poder da reciprocidade. Assim, ao posicionar o Brasil antecipadamente a favor das demandas dos Estados Unidos, recebeu em troca do país norte-americano sua colaboração nas questões brasileiras. E fez isso criando uma relação de proximidade e simpatia (olha outro princípio) com a maior autoridade do outro lado, o presidente Woodrow Wilson. Essa simpatia gerou um elo de confiabilidade entre as duas partes que perdurou também quando Epitácio se tornou presidente do Brasil.

Esses princípios, determinantes para as conquistas brasileiras daquele período, podem ser muito úteis para conseguirmos auxílio em alguma atividade doméstica, escolar ou profissional – ou até mesmo para que garçons recebam gorjetas mais generosas em restaurantes. Um famoso experimento com esse público mostrou um aumento de 3% na gorjeta (além dos tradicionais 10%) quando os garçons ofereciam uma simples bala de menta aos clientes na hora de entregar a conta e um aumento de 14% quando eram oferecidas duas balas. Reciprocidade!

Porém, a própria forma como era feito esse processo poderia representar um aumento da gorjeta. Quando, no mesmo experimento, o garçom oferecia apenas uma bala, afastava-se da mesa e depois voltava do meio do caminho para entregar uma segunda bala, indicando que a oferecia para clientes bacanas, a porcentagem das gorjetas aumentava para 23%. Simpatia! Uma mudança simples na entrega do mesmo produto gerava mais resultados. Isso é algo que sabemos que funciona, mas muitas empresas ainda pecam por não utilizarem nenhuma ação parecida em seus atendimentos.

A reciprocidade e a simpatia estão muito atreladas à geração de um relacionamento e de uma conexão com a outra pessoa impactada. Conexões e relacionamentos, inclusive, estão entre os principais impulsionadores de negócios e de ascensão profissional. Muitas vezes, o contato com a pessoa certa, na hora certa, representa o ponto de virada para que sejam alcançados resultados até então inimagináveis. Foi isso que aconteceu com o inventor Earl Tupper. Ele desenvolveu, em 1939, um processo de refinação de resíduos de polietileno que transformava tudo em um plástico flexível, inquebrável, leve e fácil de limpar. Já sabe o que resultou disso? Os famosos Tupperware.

A adesão das pessoas ao produto ia bem, no entanto, o ponto de virada do negócio ocorreu quando Earl atendeu um telefonema de Brownie Wise, na época sua distribuidora na Flórida. Ela reclamava da lentidão na entrega das mercadorias, que a impossibilitava de atender à grande demanda por elas. Surpreendido com o volume de vendas de Wise, Tupper descobriu o seu grande segredo: a criação de festas Tupperware, durante as quais donas de casa se reuniam para trocar e comprar os vasilhames de plástico. Os eventos eram um sucesso e a replicação desse novo conceito fez com que a Tupperware se tornasse uma marca mundialmente conhecida, com receitas globais que ultrapassavam 1,5 bilhão de dólares. A conexão promissora entre Tupper e Wise fez com que ele a convencesse a gerenciar toda a operação, e ela se tornou vice-presidente e diretora-geral da empresa. Em três anos de gestão, a empresa saltou de duzentos representantes independentes para 9 mil.

Outro rapaz, também em território estadunidense, fez o seu negócio decolar após uma dessas conexões ao acaso no século XIX. Levi Strauss nasceu em Buttenheim, na Baviera, Alemanha, emigrou para os Estados Unidos com 18 anos e mantinha uma empresa de tecidos e roupas com seu cunhado em São Francisco, cidade que vivia o auge da corrida do ouro. Quando conheceu o alfaiate Jacob Davis, Levi Strauss viu sua estrutura de negócios repaginar-se significativamente. A clientela de Davis, constituída por mineiros, reclamava que a costura das suas calças se rompia quando os bolsos se enchiam de pedras e pepitas de ouro.

A solução encontrada por Davis foi aplicar um rebite metálico para reforçar as partes mais propensas a romper-se. Em 1873, Levi Strauss convenceu Davis de que o melhor caminho era patentear a pequena peça de metal e o duplo arco cor de laranja no bolso traseiro. No ano seguinte, a empresa produziu o primeiro exemplar de uma peça de vestuário que hoje faz parte do guarda-roupa de praticamente todas as pessoas: surgia a calça jeans e, com ela, a Levi's, que resistiu ao tempo e hoje ultrapassa 165 anos de existência, com mais de 10 mil funcionários.

Se essas conexões não tivessem ocorrido, algumas das invenções, empresas de sucesso e tecnologias que hoje tanto utilizamos nem tivessem sido consolidadas e não existissem mais. A importância dessas conexões tanto para se achar o parceiro certo para um negócio como para conquistar clientes fiéis mostra que se trata de um passo importante no processo de crescimento de um negócio. Empresas que têm conseguido grandes resultados investindo no digital parecem ter entendido essa relevância e vêm adotando o relacionamento como sua principal estratégia de marketing digital. A ideia é: em vez de fazer apenas publicidade direta, convocando à efetuação de uma compra, e brigar no "oceano vermelho" de outros anúncios concorrendo pela atenção do consumidor, busca-se desenvolver um relacionamento com o cliente lançando-se mão dos princípios da reciprocidade.

O *modus operandi* é o seguinte: oferece-se conteúdo gratuito que busque efetivamente gerar valor para aquele público. A moeda de troca pelo conteúdo grátis muitas vezes é o contato de e-mail ou telefone do consumidor. Com essas informações se inicia um relacionamento virtual, com o envio de e-mails contínuos com novos conteúdos e informações. Já consegue sentir o cheiro da reciprocidade? Mas não é só isso. Essa interação faz com que se ativem também os princípios da simpatia e da autoridade. Afinal, a partir do momento que se produz um conteúdo relevante e impactante para determinado público, o profissional ou a empresa responsável pelo material passa a ser uma referência naquele assunto, ou seja, vira autoridade no tema. Isso gera credibilidade e confiança em quem recebeu a informação e torna a pessoa mais propensa e aberta a responder com um "sim" quando a autoridade ofertar um produto ou serviço pago.

O Professor conhecia esses artifícios. Quando foi negociar com Tóquio sua entrada no assalto, primeiro ofereceu uma informação valiosa: avisou-a de que a polícia a aguardava para uma emboscada na casa de sua mãe. Ao ganhar sua confiança, o Professor facilitou a tarefa de convencê-la a aceitar o convite. Na mansão, durante o treinamento, em nenhum momento se viam questionamentos sobre a execução e a orientação do plano, afinal, o Professor era o Professor. Sua *persona* transmitia autoridade e suas explicações passavam a confiança de que o plano seria bem conduzido. O princípio da simpatia foi outro traço de Sergio Marquina, inclusive para ganhar a confiança da inspetora Raquel nas negociações e, assim, conseguir mais tempo para a impressão do dinheiro.

O PASSO ANTERIOR

Reparou algumas semelhanças entre as histórias de Epitácio, Levi, Tupper e do Professor?

Todos eles, por mais persuasivos que tenham sido, seguiam um ponto importante antes de fazer um pedido: ofereciam ajuda. Este, segundo Robert Cialdini, é um pequeno segredo entendido muito bem pelos profissionais mais talentosos da influência. Aqueles que são bem-sucedidos em conseguir o que pedem são os mesmos que primeiro trabalham para organizar um ambiente psicológico favorável na hora do seu pedido.

Todos os personagens dos nossos exemplos também demonstram competência e dedicação àquilo que fazem (são pontos de semelhança dos quais ninguém duvida). Esses dois fatores, inclusive, são pré-requisitos básicos e essenciais para qualquer pessoa que deseja alcançar sucesso, independentemente da área de atuação. No entanto, sozinhas, essas características não definem se o resultado será mesmo positivo. Afinal, quantas pessoas incríveis você conhece que ainda não conseguiram resultados espetaculares? Em todos os casos apresentados, o ponto de virada está na conexão, na capacidade de criar alianças fortes ou de atingir sua rede de contatos. E isso não acontece somente com empresários, empreendedores ou assaltantes de bancos. Acontece também nos empregos. Você sabia que mais de 50% das contratações ocorrem por conta do Q.I.? E não se trata do famoso quociente de inteligência usado para avaliar a capacidade cognitiva das pessoas. Q.I. vem de "Quem Indica" mesmo. Esses são dados do Painel de Estudos sobre Dinâmicas de Renda (*Panel Study of Income Dynamics*), da Universidade de Michigan, sobre os profissionais que encontraram o seu trabalho atual a partir de contatos de sua própria rede de relacionamento.

Já faz algum tempo que ter um curso superior deixou de ser um diferencial no mercado, afinal, dependendo da vaga, existe um pé de igualdade nesse sentido entre os concorrentes. Por isso, ganha aquele que é bem relacionado ou que possui uma indicação de alguém que já trabalha na companhia e chancele a contratação daquela pessoa. Já deu para perceber que desenvolver um bom relacionamento e ter uma cultura de reciprocidade podem ser o ponto de virada nos negócios, no emprego e também na hora de ganhar uma promoção. Servem para gerar credibilidade, conseguir investidores, fornecedores, clientes. Ou seja, gera oportunidades. Mas será que é tão difícil assim se conectar com as pessoas certas?

Um experimento científico conduzido pelo psicólogo Stanley Milgram, nos Estados Unidos, indicou que um ser humano está no máximo a seis graus de amizade de qualquer outra pessoa. Ou seja, se você quer chegar à Lady Gaga ou ao Papa, basta repassar esse pedido para seis pessoas conectadas em sequência (o que não quer dizer que todos vão querer responder). Mas essa teoria, que ficou conhecida como Teoria dos Seis Graus de Separação, foi feita em 1961, há mais de cinquenta anos. Recentemente, o estudo foi atualizado pelo Facebook em parceria com a Universidade de Milão, e teve como resultado que, por conta das redes sociais, como o próprio Facebook ou LinkedIn, o número médio de pessoas que separam dois indivíduos no mundo caiu para 3,57. Talvez você tenha mais conexões do que pensava. Gerar relacionamentos, impactar pessoas com antecedência, desenvolver autoridade, reciprocidade e simpatia são fatores que realmente fazem a diferença em um processo de influência e negociação. Ainda assim, existem outros artifícios poderosos na hora do convencimento que valem a pena serem analisados.

UM DIA DE FÉRIAS

Nas últimas férias, eu e minha companheira aproveitamos para descansar em uma das belas praias do litoral brasileiro. Ao explorar o local, nos deparamos com um parque aquático que acabava diretamente nas areias da praia. Em pleno domingo ensolarado, naturalmente, aproveitar todo aquele complexo não foi uma ideia só nossa. Na entrada do parque uma enorme fila nos aguardava. Eu não conseguia entender por que não havia mais guichês para atender tanta demanda e acelerar o processo de entrada.

Então fomos abordados por simpáticos representantes com brindes de cortesia (olha aí a reciprocidade e simpatia) que solicitamente explicavam os benefícios extras do parque para quem virasse um associado. O catálogo de benefícios impressionava, com diversos atrativos. Já começava a formular na cabeça a ideia de visitar o parque todos os fins de semanas para usufruir do local, que contava com um hotel maravilhoso (tinha esquecido momentaneamente as horas cansativas de deslocamento para chegar até lá). Rapidamente o representante tirou um *tablet* da pequena maleta que carregava e mostrou depoimentos felizes de outras pessoas que optaram por adquirir um dos pacotes anuais.

Depois de nos deixar encantados, chegou a hora de apresentar o valor. Não era nada que não se pudesse pagar, mas a lembrança do deslocamento ao local e de que nem teríamos tantos finais de semana disponíveis voltaram à tona. Ao notar essa barreira, nosso já simpático amigo do parque apresentou uma oferta especial que reduzia o valor inicial em três vezes e ainda incluía outros benefícios, como a possibilidade de trazer livremente familiares e amigos ao parque. Uma cartada fatal que fez minha companheira cochichar em meu ouvido: "É uma oportunidade que temos que aproveitar".

Ao me dar conta de toda essa movimentação do nosso amigo negociador, pedi um tempo para pensar. Ele, então, solta mais uma jogada: "Essa promoção é válida só para hoje, todos os representantes encerram o expediente à uma da tarde, depois disso não será possível garantir esse valor promocional". Eram dez e vinte e cinco.

Não pude deixar de pensar em como Cialdini estaria orgulhoso em ver boa parte dos seus princípios colocados em prática de uma só vez em um processo de negociação.

Todo o esforço de venda do representante soava como uma conversa entre amigos, em que a simpatia e a aproximação eram características para cativar (e já vimos neste capítulo que ambos são fatores que favorecerem o "sim"). O brinde logo quando o conhecemos foi a porta de entrada para estabelecer-se um possível processo de reciprocidade. Ao mostrar os depoimentos em vídeos, ele ofereceu as provas sociais necessárias que reforçavam a ideia de uma compra proveitosa, ativando-se o princípio do consenso. O limite de um determinado horário para pensar antes que essa oportunidade de negócios "acabasse" foi o gatilho da escassez, que para aquele momento se tornava muito necessário. Afinal, estávamos de férias e com vontade de aproveitar o momento. Se a oferta não fosse de tempo limitado, era provável que adiássemos a decisão por não enxergá-la como urgente, mesmo havendo interesse na compra. Isso poderia causar a perda de toda a negociação.

Essa história também nos mostra como é importante definir objetivos ao iniciarmos um processo de negociação. O erro de muitos é criar apenas uma meta principal. Quando ela não é alcançada, não existe um plano B ou C para o debate ser retomado. O segredo dos grandes negociadores está em dividir seus objetivos em margens de alcance. A primeira (o plano A) é aquilo que se deseja por completo. No entanto, caso ela não seja consolidada, tiram-se da cartola outras margens (os planos B, C, D...) até se chegar ao limite máximo aceitável de concretização do negócio. Trata-se de concessões pré-programadas que, mediante estratégias, podem ser ainda mais eficientes. Lembra-se do experimento com os garçons que passaram a ganhar 23% a mais de gorjeta quando entregavam uma bala e depois voltavam para deixar outra com uma mensagem positiva?

O ato de ceder também é mais eficiente se ocorrer em etapas. Se você mostra para a pessoa com quem está negociando que abrir mão de algum ponto é custoso, você transmite a impressão de que ela obteve uma grande conquista (mesmo sendo algo simples). Isso favorece que as duas partes cheguem a um resultado satisfatório sem que seja necessário descer em todas as suas margens de alcance. Em uma situação hipotética de um pedido de aumento salarial, é interessante que o profissional saiba exatamente qual é o seu objetivo principal, mas ele deve ter em mente margens opcionais e aceitáveis, como um aumento salarial menor ou benefícios que não tenham relação direta com dinheiro (dias a mais de folga, sair uma hora antes do trabalho e assim por diante).

SPOILER!

Em cada uma das ligações telefônicas, o Professor e a investigadora Raquel usam o tempo todo esse movimento de concessões, como em um jogo de xadrez bem jogado. Ora os assaltantes devem satisfazer algum pedido da polícia (como a imagem dos reféns, a entrada para checagem, a liberação de alguns), ora a polícia deve ceder (fornecendo alimentação e medicamentos ou permitindo que uma equipe de televisão entrasse no local do assalto).

É fácil notar o uso desse artifício durante um processo de venda. Muitas vezes, a margem inicial – o plano A – já contém o valor excedente que depois será cortado no suposto "desconto" para o consumidor (com certeza foi o caso da nossa oferta do parque, cujo valor final acabou sendo três vezes menor do que o anunciado inicialmente).

Mais uma vez a preparação entra em campo e se torna um importante trunfo na negociação. Quando você mapeia seus objetivos em uma negociação, elegendo outras possibilidades, a chance de ela ser bem-sucedida aumenta. Mas não só isso: entender as motivações da pessoa com quem se está negociando também é diferencial para um resultado satisfatório. Quando não se sabe o que o outro lado deseja, uma negociação simples pode se transformar em algo bem complexo.

Um exercício básico e eficiente é imaginar quais as necessidades do outro negociador. Caso você obtenha essa informação, com perguntas diretas ou por meio de pesquisa, sua vantagem dentro da negociação aumenta. Pense no seguinte exemplo: você precisa se desfazer daquele seu carro raro de que tanto gosta com certa urgência para pagar a cirurgia de um ente familiar. Em decorrência de sua necessidade, você provavelmente venderia o veículo por um preço abaixo do valor de mercado, já que precisa do dinheiro rapidamente. Se o seu comprador souber desse dado, ele fará uma oferta inferior àquela que você colocou como plano A. No entanto, se ele não sabe dessa informação e você descobre que o seu possível comprador é um colecionador de carros que buscava esse modelo há algum tempo, pode fazer um pedido inicial até maior.

Esse entendimento do que a outra pessoa deseja é um ponto-chave no processo das negociações bem-sucedidas. Afinal, só se concretiza algo entre duas partes quando ambas sentem que sairão ganhando, mesmo que para isso seja necessário ceder em algum ponto. Se um lado é contrário ao que foi proposto, é certo que o negócio não será fechado. Por isso, um fator de vantagem é mostrar interesse em ajudar a outra parte, em estabelecer uma relação do tipo "ganha-ganha", afinal, ninguém deseja negociar com alguém que aparentemente tem como objetivo passar a perna nos outros.

O "EU" INFLUENCIADOR

Quando falamos sobre o poder de influenciar pessoas, o "eu" possui um forte papel. Venho percorrendo o país realizando palestras e treinamentos e lidando com todos os tipos de público: de estudantes de ensino médio e universitários a doutores; de pequenos empreendedores e profissionais liberais a grandes executivos de empresas multinacionais. Quando você está no palco com o microfone ligado é normal que as pessoas geralmente o enxerguem como alguém que possui argumentos ou conteúdo relevante a ser escutado.

O que é interessante, ao analisar o comportamento das pessoas diante de alguém nessa posição de comando ou de destaque, é que elas ficam pré-dispostas a seguir aquilo que lhes é pedido. Dificilmente um policial que pede para você parar em uma *blitz* não será obedecido. Isso faz com que palestrantes com perfis mais motivacionais o façam, com profunda satisfação, pular pelo auditório inteiro e abraçar todo mundo.

Já falamos sobre o poder da autoridade no convencimento. Mas não se trata só da autoridade no discurso, pois o processo de influência acontece por todos aspectos transmitidos: aquilo que você faz, sua aparência, o que e a forma do que você diz, quem você é.

Na verdade, dezenas de fatos podem ser influenciadores diretos ou armas em um processo de negociação: pressão social (a demissão de altos cargos gerenciais em governos que o digam), datas e prazos, envolvimento, ajuda ou acompanhamento, legitimidade, oferecimento de vantagens e benefícios ao outro, coerência e justiça, concessões, valorização, agradecimentos ou menções públicas, reconhecimento ou fama, números, exemplos e fatos, dados comparativos etc.

As escolhas linguísticas têm um impacto direto e muito forte nesse processo. Uma palavra mal colocada pode soar ofensiva, provocativa ou dar ideia de deboche e ironia. Por isso até a escolha do vocabulário é importante para não cair em uma armadilha sem volta. Indicar a uma família que seu parente tem 80% de chance de se recuperar de um acidente é bem melhor do que indicar que há 20% de chance de ele não se recuperar (perceba que a informação é a mesma). Essa reformulação de frases em uma negociação ajuda a desviar a atenção de temas mais delicados ou não relevantes.

E essa preocupação não deve ocorrer só presencialmente. Na internet também é necessário tomar cuidado com a linguagem. Em uma era de *emoticons*, memes e gírias próprias na web, até o fato de se DIGITAR O TEXTO EM MAIÚSCULA PODE PASSAR A SENSAÇÃO DE QUE VOCÊ ESTÁ GRITANDO OU BEM EXALTADO COM ALGUÉM. PIOR AINDA SE A FRASE TERMINAR COM TRÊS EXCLAMAÇÕES!!!

INTELIGÊNCIA EMOCIONAL, DE NOVO

Não adianta reclamar, a inteligência emocional aparece de novo neste capítulo sobre negociação por também ser um tópico importante durante todo o processo, já que fatores psicológicos são decisivos que separam negociações de verdadeiros desastres. Mas essa percepção global, principalmente ao se analisar a literatura acadêmica e corporativa sobre negociação, é muito recente. Vinte anos atrás, eram poucos os pesquisadores que se preocupavam com o papel das emoções nesses momentos decisivos. O foco estava basicamente em estratégias e táticas para compor propostas e contrapropostas visando à geração de mais recursos ou lucros.

Na última década, no entanto, emoções como raiva, ansiedade, tristeza, felicidade e empolgação passaram a ser o escopo de experimentos na área. Em 2011, por exemplo, os pesquisadores Maurice Schweitzer e Alison Wood Brooks, de Harvard, apresentaram um estudo sobre as emoções apresentadas por 185 profissionais durante negociações com um estranho. Aqueles que foram induzidos a graus de ansiedade maiores fizeram propostas iniciais mais fracas e mostraram maior propensão a abandonar as negociações prematuramente. No entanto, aqueles que atribuíram a si mesmos uma alta pontuação na pesquisa sobre aptidão para os negócios foram os menos afetados pela ansiedade.

William Ury, um dos fundadores do Programa de Negociação da Universidade Harvard, indica que uma forma de controlar a inteligência emocional em um momento de conflito durante uma negociação é "se colocar em um camarote", ou seja, buscar se distanciar da situação e observar o conflito se colocando no lugar do outro sem reagir imediatamente com alguma resposta. Isso evita que aquele momento de instabilidade e aumento de pressão faça com que sejam tomadas atitudes baseadas na emoção, ocasionando-se, naturalmente, um confronto mais ríspido ou quebra de contrato. De forma induzida ou controlada, treinar as próprias emoções se mostra mais uma vez eficiente.

SPOILER!

Basta lembrar-se de quando Tóquio resolveu fazer roleta-russa apontando a arma para a cabeça de Berlim após sua solicitação não ser atendida. Ou dos diferentes momentos em que Arturo convenceu outros reféns a tomarem atitudes para tentar escapar. Ou mesmo de quando o próprio Berlim toma decisões que vão de encontro à maioria do grupo durante a perda de contato com o Professor. Todas essas ações intempestivas geraram consequências nada positivas para os personagens na série.

O CORPO FALA

Se há tantos fatores que podem influenciar um processo de negociação, conhecer alguns sinais do próprio corpo também é interessante para deixar as suas habilidades mais afiadas. Mas minha pretensão aqui não é transformá-lo em um exímio leitor de gestos do corpo, como o personagem do doutor Cal Lightman, da série *Lie to me*. Lembre-se de que, apesar de tantas referências, o nosso mundo fictício de aprendizado ainda é *La casa de papel*. Se você deseja aprender mais sobre essa outra linguagem, a do corpo, pode assistir a *Lie to me* ou ler o *Manual de persuasão do FBI*, de Jack Schafer e Marvin Karlins, livro que aborda detalhadamente expressões corporais.

A ideia, entretanto, é mostrar nuances aprendidas – e algumas testadas cientificamente – que vão colaborar na hora de interpretar e lidar melhor com situações de uma negociação. E, utilizando aqui o mesmo artifício das séries, cujos episódios terminam no ápice da trama, convido o leitor: se deseja aprofundar-se nessas técnicas, não pare agora e siga para o próximo capítulo, no qual abordaremos estratégias de vendas. Falaremos sobre expressão corporal (o corpo fala), sobre aspectos comuns entre vendedores e os personagens de *La casa de papel* e sobre o que pode transformá-lo em um vendedor mais eficiente.

O QUE APRENDEMOS NESTE CAPÍTULO

Primeiro, aprendemos que todos nós somos negociadores em diferentes momentos e ocasiões. A capacidade de negociar é uma característica do ser humano, ainda mais em um mundo globalizado e conectado, no qual somos sujeitos mais ativos e participativos. Vimos os conceitos que mais influenciam o processo de negociação e mostramos que ele merece um planejamento prévio, com criação de margens de objetivos. Também vimos que conhecer com quem se negocia e controlar as emoções que sentimos e revelamos são ações eficientes para conseguirmos o resultado desejado.

4. VENDAS

"Quero propor um negócio. O que você acha de 2,4 bilhões de euros?"

TUDO SEMPRE COMEÇA COM UMA GRANDE VENDA

Joe Girard passava por dificuldades para sustentar sua família. De origem humilde e ainda sem conseguir se fixar em um emprego, resolveu pedir trabalho ao gerente de uma concessionária. Percebendo que o pedido seria negado sob a justificativa de que havia um número suficiente de vendedores para a demanda de clientes atuais, Girard ofereceu-se para captar novos clientes. Ou seja, ele não venderia para quem fosse naturalmente à concessionária, apenas ganharia por quem trouxesse de fora.

E, assim, munido de uma lista telefônica e de um telefone em uma mesinha no fundo de uma sala, Girard começou a fazer ligações. Já no primeiro dia de trabalho conseguiu vender o primeiro carro. No mês seguinte vendeu dezoito veículos. Não demorou muito para que passasse a vender mais automóveis sozinho do que todos os vendedores da concessionária juntos. Enquanto a média de venda dos outros profissionais era de seiscentos automóveis em cinco anos, Girard vendia essa quantidade por ano. Ele chegou a comercializar 1.625 veículos no seu melhor ano. Toda essa desenvoltura fez com que, em 1997, ele fosse eleito pelo *Guinness World Records*, livro que registra os maiores recordes do planeta, "o melhor vendedor do mundo".

Qual era o segredo de Joe Girard? Como conseguir vender assim? Como o Professor vendeu a oito pessoas a ideia de assaltar a casa da moeda da Espanha? Será que existe uma fórmula para vender produtos e ideias? Quando fizeram essa última pergunta a Girard, ele revelou:

"A venda não acaba quando o cliente compra. Aliás, neste momento, ela está apenas começando". Um pouco mais à frente, abordaremos mais detalhadamente o sentido dessa afirmação, assim como as estratégias e os processos que podem ajudar na criação de uma "máquina de aumento exponencial de vendas" (conhecidos por Girard, pelos grandes *players* do mercado e também pelo Professor). Entretanto, devemos entender primeiro as características que transformaram Girard e outros grandes vendedores em figuras bem-sucedidas de seus segmentos.

A área de vendas possui certos tabus. Algumas pessoas do segmento batem no peito orgulhosas de sua profissão, que talvez seja a mais antiga do mundo. Por outro lado, muitos indivíduos parecem se esconder atrás da frase "Eu não sei vender", criando uma barreira psicológica que os impede de ter um desempenho satisfatório na área.

Em minhas mentorias e treinamentos, uma das primeiras reflexões que proponho para aqueles que demonstram certo medo de encarar a área é reparar que, ao longo de uma considerável quantidade de horas da nossa rotina, estamos inseridos em uma dinâmica de compra e venda. Todos os objetos da sua casa e do seu escritório, as roupas no seu armário, o seu corte de cabelo, a comida que consome, os livros que lê, as viagens que faz: há um processo de compra e venda por trás de tudo. É o que faz a economia girar, o verdadeiro combustível do mundo, o motivador diário que faz a maioria das pessoas acordar cedo para ir ao trabalho. Seja qual for sua profissão, caro leitor, há uma venda inserida nela também. Os professores vendem sua capacidade intelectual e sua hora de trabalho para uma instituição de ensino que vende essa mercadoria a seus alunos. Profissionais de TI, médicos, economistas e jornalistas fazem o mesmo. Trabalhamos vendendo alguma habilidade ou algo que seja útil para os outros: empresas, pessoas ricas, pessoas pobres, donos de cachorrinhos ou assaltantes de bancos na Espanha.

Se vender é algo tão natural, então por que ter medo dessa atividade? Vale salientar que se você não mora em uma fazenda produzindo tudo o que consome, até a água e os alimentos precisam passar por um processo de vendas.E ainda mais: a real missão dos vendedores é ajudar as pessoas a adquirirem algo que desejam ou de que necessitam. Vendedores são facilitadores da vida das pessoas. Entender isso faz com que o medo diminua e, ainda melhor, ajuda a estimular um orgulho, uma vontade de vender mais e de ajudar os outros a adquirirem o que precisam. Mas, claro, há pessoas que executam essa atividade de forma mais eficiente do que outras. E as características que os vendedores fora de série possuem estão divididas nos tópicos a seguir.

Automotivação e resiliência
Grandes vendedores, em sua essência, são automotivadores e resilientes. De fato, nem todo mundo vai dizer "sim" de cara para aquilo que se vende, mas não se abater ao levar o "não" e persistir é fundamental. Geralmente, o vendedor com mais resultados desenvolve seu próprio sistema de crença: acredita no que faz e em sua capacidade, além de buscar com afinco alcançar suas metas e seus objetivos.

Com mais de 15 mil lojas em cinquenta países, o Starbucks é hoje a mais importante empresa mundial de torrefação e venda de café especial. No entanto, o que muitos não sabem é que, por trás de sua renomada marca, o processo inicial de criação da empresa foi um tremendo desafio. Howard Schultz, o grande responsável, apresentou o seu plano para 242 investidores, mas 217 se recusaram a investir no projeto. Mesmo assim ele não desistiu e, hoje, tem muito a comemorar por conta disso.

Na maioria das empresas, o salário dos funcionários da área de vendas está atrelado ao desempenho, mediante pagamento de comissões. Se a sua motivação for o dinheiro para conquistar objetivos de vida, então faça o necessário para isso: siga um planejamento, desenvolva uma boa gestão do tempo e evite atitudes que prejudiquem os resultados. Manter o foco nos ajuda a não perder de vista os objetivos e a nos comprometer com o alcance desses resultados.

Comunicação e escuta

A comunicação é outro diferencial dos grandes vendedores. Expressar-se bem, transmitir de forma clara uma informação, ser eloquente e ter uma boa retórica são ao mesmo tempo clichês e necessidades do mundo corporativo. Steve Jobs sempre foi referência quando o assunto é comunicação por conta das memoráveis apresentações em que revelava suas revolucionárias invenções para a Apple, marcadas por simplicidade, uso de palavras impactantes, domínio do assunto e presença de palco, elementos que reforçavam a mensagem, encantavam o público e criavam desejo pelo produto apresentado.

Não é preciso se transformar no novo Steve Jobs da apresentação (será ótimo se acontecer, mas não assuma isso como objetivo). O intuito é entender que a comunicação faz parte do processo de vendas. É por meio dela que destacamos as qualidades de um produto, um serviço ou uma causa, fazendo com que as pessoas acreditem no que está sendo vendido, seja em uma palestra, seja no contato pessoal. Mas a comunicação vai além das palavras ditas. No caso dos processos de venda, tão importante quanto tentar causar impacto na hora de se expressar verbalmente é saber ouvir, observar, sentir e compreender o que o comprador quer. Ou seja, ser um bom ouvinte e, muitas vezes, ser bem paciente são aspectos que devem fazer parte do repertório do vendedor.

Amor e evolução

Quando alguém está apaixonado, é comum desdobrar-se pela pessoa amada. Com o trabalho funciona da mesma forma. Os melhores profissionais de vendas são aqueles que amam o que fazem. Com isso, vestem a camisa como ninguém e se esforçam para converter pessoas em clientes. O resultado é se destacar na profissão, ganhar a preferência dos clientes, conquistar salários e comissões maiores, gerar credibilidade e muito mais.

Quando esse profissional apaixonado está também disposto a aprender e a evoluir, prepare-se: ali está um "vendedor fora de série". Essa busca pela evolução é fundamental por conta das mudanças constantes em nossa sociedade, que afeta tantos os produtos como o próprio comportamento e o perfil dos consumidores. O desenvolvimento mediante treinamentos ou decorrente da leitura de livros como este nos deixa mais atentos às novas demandas e às possibilidades de obter resultados mais assertivos.

Identificação de motivações

Lembra-se do anúncio cheio de perguntas do *Globo Repórter*? "Onde vivem? O que fazem? Como se alimentam?" Vendedores fora de série são igualmente questionadores, porém mais criteriosos. Procure conhecer a fundo sua clientela, descobrindo inclusive como ela consome produtos da concorrência, de modo a estabelecer uma imagem tão próxima quanto possível do seu cliente! Com isso, você poderá pensar de forma semelhante e verificar o que há de relevante em seu serviço para quem compra, além de seus diferenciais em relação aos concorrentes. Quando se cria essa identificação, sem dúvida o poder de converter alguém em cliente aumenta consideravelmente. O Professor de *La casa de papel* sabia disso. Quando vendeu a ideia do assalto, entendia as motivações de cada pessoa de sua equipe e as usou para convencê-las a invadir a Fábrica Nacional de Moneda y Timbre.

Inteligência emocional

Já falamos dela antes e ainda vamos falar muito mais. O intuito não é aprofundar o tema agora, apenas destacar que essa é uma característica fundamental de um vendedor fora de série. Afinal, vendedores – assim como líderes e negociadores – que buscam controlar suas emoções e sentimentos apresentam melhor desempenho em momentos decisivos ou de conclusão.

Aberto 24 horas

Quem mora perto de uma loja de conveniências que funciona 24 horas sabe a alegria que isso pode significar em muitos momentos. Se não deu tempo de ir ao supermercado, ela "salva a vida" com pratos rápidos e guloseimas no domingo ou de madrugada. Em algumas cidades brasileiras existem serviços que nunca param. E não estou falando de farmácias, hospitais ou daquele posto de gasolina na rua central. São academias, dentistas, encanadores, eletricistas, floriculturas e supermercados que conseguem atender a um público que se torna fiel por conta do horário nada convencional.

Dependendo da área de atuação ou *status* do profissional, a própria imagem e exposição acabam sendo as ferramentas que mais favorecem um processo de venda. Ter consciência disso permite que o profissional aproveite as oportunidades de negócios que surgem em qualquer ambiente e horário, inclusive após o final do expediente às 18h. Por isso, deixar a "porta das possibilidades" aberta o tempo todo possibilita caminhos e situações que até então não existiam ou não se imaginava que poderiam ocorrer.

A história do meu amigo Carlos ilustra bem essa situação. Depois de vinte anos de experiência na área de consultoria, ele percebeu a oportunidade de atuar como consultor de um grande banco e de uma multinacional. Para isso, desenvolveu um amplo projeto para as duas corporações. Entretanto, após a apresentação, o retorno sobre a possibilidade de contratação da consultoria não ocorria. A resposta que lhe davam era sempre a mesma, só mudando a área em que o projeto estava no momento: "Foi passado para a análise do setor x". E assim o processo se arrastou por seis meses.

Carlos era membro de um grupo de ciclismo que se encontrava toda semana e do qual, por coincidência, um executivo do banco e uma executiva da multinacional também faziam parte. Nos encontros, todos conversavam sobre amenidades, mas não faziam ideia da vida profissional um do outro. Até que um dia, quando após mais uma pedalada pararam para lanchar, entraram nesse assunto. A postura sempre cordial de Carlos fez com que ele, agora ciente de quem eram as pessoas certas (graças à indicação de seus companheiros ciclistas), conseguisse marcar novas reuniões e fechasse os contratos para as consultorias em menos de um mês.

Estar aberto 24 horas não significa trabalhar o tempo todo. Longe disso. Trata-se de manter no dia a dia uma boa postura: ser interessante, ético, agradável, relevante. As pessoas avaliam isso inconscientemente – e quando surge uma oportunidade dentro da área de atuação, ela ocorre conscientemente. Então, atenção: o atacante da pelada ou aquela simpática pessoa da academia podem ser pessoas-chave para você.

Existem lugares que são celeiros de oportunidades mesmo que o objetivo não seja realizar uma venda ou fazer algum negócio profissional. Para os oito assaltantes que invadiram a casa da moeda espanhola, suas experiências prévias foram decisivas para que fossem convocados pelo Professor. No mundo real, graduações, pós-graduações ou mesmo cursos rápidos oferecem um vasto campo para esse tipo de conexão. Em um curso de graduação, por exemplo, as mesmas pessoas que hoje estudam com você podem, em quatro ou cinco anos, estar em algum lugar que conduza a muitas oportunidades. Quando se fala de pós-graduação ou cursos rápidos, esse processo pode ser imediato e não envolve só os alunos. Os professores são fontes riquíssimas de indicações e abertura de portas. Então, por que não tomar uma cerveja, fazer aquela ligação no aniversário e colocar o papo em dia? A ideia não é se tornar um caçador voraz de oportunidades, mas cultivar relacionamentos é sempre positivo e pode trazer grandes surpresas.

Congressos e eventos são espaços de interação bem interessantes para vendedores. É possível realizar muitos contatos promissores e efetuar vendas diretas para quem expõe em *stands*, faz palestras ou simplesmente está no papel de ouvinte. Não cometa o erro comum de simplesmente assistir à palestra e conversar somente com o colega de trabalho de todos os dias que foi com você. Pesquise sobre os palestrantes com antecedência, conecte-se com aqueles que achar mais interessantes, esteja aberto a dialogar com desconhecidos e não almoce sozinho. Em relação a cartões de visita, use-os, mas troque-os apenas com quem vale a pena. Nessa hora, qualidade é melhor do que quantidade. Não adianta entregar uma pilha de cartões e não estreitar os laços com nenhuma pessoa depois do evento.

Estar aberto a gostar das pessoas e dar-lhes atenção sincera e natural facilita o seu processo de conexão e vendas.

Empatia para conquistar o público

Quando estamos realmente dispostos a gerar valor e a colaborar com os outros, as coisas conspiram a nosso favor. Muito do processo de identificar aquilo de que o outro precisa está na empatia, ou seja, na capacidade de se colocar no lugar da outra pessoa, de sentir ou de compreender de verdade o que ela deseja. Uma forma de iniciar o processo de empatia é identificar um ponto em comum com a outra pessoa para se conectar. Pode ser o campeonato de futebol, religião, hábitos, gosto musical, proximidade de moradia, gastronomia, astrologia, interesse por vinhos. Enfim, a questão é que muitas pessoas não sabem como "quebrar o gelo" para iniciar uma conversa (mesmo que não seja para iniciar uma venda). Achar pontos de ligação facilita a criação de conexões e de um elo de confiança.

Se o seu mundo é só trabalho, não tem problema. É possível buscar fatores em comum dentro de valores, formas de atuar, situações, vivências, desafios, contratações, demissões. Lembra-se do princípio persuasivo da simpatia no capítulo sobre negociação? Vendedores fora de série sabem fazer isso. E informe-se! Ao ampliar seu universo de conhecimento, naturalmente fica muito mais fácil começar uma conversa interessante.

Ao conhecer as pessoas, melhoramos nossa capacidade de nos colocar no lugar delas e, assim, de compreender os seus anseios e objetivos.

SPOILER!

Isso aconteceu com Tóquio e Nairóbi ainda na mansão. O fato de Tóquio descobrir a real motivação de Nairóbi para realizar o assalto – recuperar o filho – fez com que ela se colocasse na pele da outra, dando seu total apoio à parceira e criando-se um clima de amizade e cumplicidade. Mas é claro que, em se tratando de Tóquio e de sua falta de inteligência emocional, em algum momento haveria uma ruptura de empatia (quando ela surta, faz roleta-russa com Berlim e critica Nairóbi, dizendo que seu filho não gostaria de tê-la como mãe).

O comportamento é um ponto que merece cuidado, pois pode se tornar uma armadilha. Um erro é você tentar ser uma pessoa que não é, ou seja, interpretar um personagem ou até fazer elogios falsos. Para conseguir conexões de verdade, seja você mesmo – até porque, quem vive um personagem pode deixar a máscara cair uma hora, deixando a situação bem pior. Empatia também não tem relação com ser puxa-saco ou manipulador. Admiração, respeito e compreensão são ótimos sentimentos e bem diferentes de bajulação. Aproximar-se de alguém para pedir um favor também é ótimo e bem diferente de manipular, até porque as pessoas não são bobas e percebem quando alguém quer tirar proveito de uma situação. Aproximar-se por interesse para executar uma venda não é um problema desde que suas intenções estejam claras.

Se você identifica a necessidade de um cliente com base na empatia, sua forma de apresentar um produto ou serviço pode variar bastante dependendo do público, o que é natural. Afinal, um mesmo produto pode ser atrativo por diferentes motivações ou benefícios. Mas qual é a melhor abordagem, então? Como identificar e destacar o que o público quer? Para isso, é interessante entender que existem três tipos de perspectivas de valor quando falamos em benefícios: perspectiva funcional (ligada diretamente à função de um produto), perspectiva emocional (engloba aspectos subjetivos e motivacionais que influenciam na compra) e perspectiva de autoexpressão (quando as pessoas compram determinadas marcas para se autoafirmar ou mostrar uma característica às outras). Vamos nos aprofundar nesses diferentes tipos de benefício mais à frente, no capítulo voltado ao marketing.

Agora, vamos falar sobre os sinais do corpo que ajudam no processo de vendas e de criação de empatia.

O CORPO FALA

Calma, não é um erro da editora nem um *déjà vu*. Sim, o subtítulo "O corpo fala" já apareceu por aqui, mas, como combinado, agora vamos explorar o assunto sob o ponto de vista da venda. Sou um apaixonado pela área de expressões humanas, afinal, elas dizem muito sobre como estamos nos sentindo, o que estamos pensando, sobre nossa felicidade, nosso jeito ou até nossa insatisfação. A fala pode dizer uma coisa, mas o corpo, indicar algo completamente diferente.

Por ter trabalhado, ao longo dos últimos dez anos, com negociação, vendas e comunicação, comecei a desenvolver uma capacidade de monitorar os sinais das pessoas. Em cada conversa, passei inconscientemente (às vezes, bem conscientemente) a analisar como as pessoas interagiam e se posicionavam em relação a outras pessoas de diferentes níveis e *status*. Não sou um especialista na área, mas ao consultar alguns estudos que indicavam sinais do corpo em situações práticas, *voilà*: muitos batiam. Gostaria de compartilhar, principalmente para quem vende e negocia, alguns deles.

Sinais amistosos

Algumas formas de agir, sem dúvida, passam a sensação de simpatia e de proximidade com a outra pessoa. Às vezes, a ação é não dizer nada ou se mexer muito pouco. O silêncio, com um olhar atento direcionado à outra pessoa e um leve movimento vertical de afirmação com a cabeça, indica atenção à fala do interlocutor. Quando a outra pessoa percebe que está recebendo atenção, inicia-se o processo de conexão e familiaridade. Não é à toa que as pessoas ficam tão à vontade diante de médicos e psicólogos – elas se sentem ouvidas e assistidas diante de um problema ou uma situação que vivem.

O sorriso é outro gesto simples, mas poderosamente eficiente. Pessoas sorridentes são consideradas mais simpáticas e atraentes, e passam mais confiança, felicidade e entusiasmo. A forma como você sorri pode influenciar a maneira como os outros o enxergam, ajudando em uma conexão ou em afastamento. Sorrisos genuínos liberam endorfina, que nos dão a sensação de bem-estar. A verdade é que quase não existe contraindicação para o sorriso (*em um enterro ou uma situação de desastre não é tão legal assim*).

Entretanto, existe o sorriso falso, e um olhar atento é capaz de diferenciá-lo do sorriso real. Nos sorrisos reais as bochechas se erguem, bolsas são formadas embaixo dos olhos em pessoas com mais idade, os "pés de galinha" e linhas de expressão aparecem de forma mais ativa. Já nos sorrisos falsos isso não acontece, até a boca abre de maneira diferente: geralmente, nos sorrisos genuínos, aparecem apenas os dentes superiores da boca, enquanto nos falsos, todos os dentes.

Uma leve inclinação da cabeça em uma conversa, um levantar rápido das sobrancelhas em um contato visual com alguém, uma postura mais aberta, com os braços descruzados, articulados e promovendo gesticulação durante o diálogo: todos esses aspectos são influenciadores positivos, sinais que transmitem confiança e projetam uma imagem mais amigável ao interlocutor.

Sinais antipáticos

Temos a incrível capacidade de transmitir sinais positivos e amistosos apenas com o nosso corpo, mas também podemos indicar sinais antipáticos ou de rejeição sem precisar dizer uma palavra ou apenas por meio dos olhos. Um olhar prolongado sobre outra pessoa pode ser lido como uma encarada e causar uma sensação de invasão. Isso também acontece com o olhar da cabeça aos pés (que pode soar ofensivo), o revirar dos olhos (que demonstra desinteresse) ou o ato de cerrar os olhos (um sinal de raiva). Todos esses gestos criam barreiras antes mesmo que qualquer palavra seja trocada entre duas pessoas.

O desinteresse por algum assunto também pode ser indicado por uma postura fechada: braços cruzados ou manutenção de uma distância maior da pessoa. Bocejos falsos, sobrancelhas ou nariz franzidos por um longo período, contração dos músculos da mandíbula e atenção voltada para algum objeto são outros sinais de que a interação não está indo pelo melhor caminho. Buscar uma nova abordagem pode alterar esses sinais antipáticos e salvar uma negociação ou venda.

Use o *rapport*

Na minha infância, uma das diversões em família era imitar exatamente o que o outro falava ou fazia. Virávamos um espelho. O que um fazia, o outro tinha que fazer igual. O que um falava era repetido com o mesmo tom de voz. A brincadeira acabava quando a frase a ser repetida era o compromisso de realizar afazeres de casa – obviamente, ninguém queria se comprometer. Naquela época, eu nem poderia imaginar que a nossa brincadeira era a essência de uma eficiente técnica de negociação e vendas chamada *rapport* (palavra de origem francesa que significa "trazer de volta").

No *rapport*, a ideia não é fazer como eu na infância e imitar exatamente o interlocutor, mas, sim, espelhar a linguagem corporal do outro de forma natural. Se a pessoa cruzar os braços ou as pernas, faça o mesmo. Busque um tom de voz parecido. Verifique a respiração, alguns gestos, expressões faciais que caracterizam aquela pessoa e os faça também. Ela não notará esse espelhamento conscientemente, mas ao agir dessa maneira você criará uma impressão favorável na mente dela e proporcionará uma espécie de ligação e sintonia. Ao começar a praticar e aprimorar a técnica, você começará a ver essas nuances de aproximação.

OS SEGREDOS DE GIRARD E DO PROFESSOR

Agora que já abordamos alguns princípios de como usar o corpo a favor das vendas e da negociação, vamos voltar às técnicas de vendas de quem já mostrou que entende bastante.

Você ainda se lembra de Joe Girard, considerado o melhor vendedor do mundo pelo *Guinness World Records*, que chegou a vender 1.625 carros em um ano? Comentei anteriormente que ele mesmo já revelou o seu segredo: "A venda não acaba quando o cliente compra. Aliás, nesse momento, ela está apenas começando".

Girard seguia à risca seu próprio conselho e mantinha relacionamentos duradouros com seus clientes, criando muitas vezes um vínculo de amizade. Para isso, ele enviava correspondências simples de agradecimento após a realização de uma venda e também em datas comemorativas. Veja alguns casos:

- Aniversário do cliente: *"Caro John, feliz aniversário! Que você seja muito feliz! Um abraço, tio Joe."*
- Aniversário do filho do cliente: *"Olá, pequeno John Jr. Parabéns e muitas felicidades. Tenho certeza de que quando crescer você será como seu pai: um homem de muito sucesso! Um abraço, tio Joe."*
- Dia de Natal: *"Amigo John, desejo a você e a toda sua família um ótimo Natal, com muito amor. Que Deus ilumine a todos! Tio Joe."*
- Dia das Mães: *"Prezada sra. Mary, parabéns por esta data tão especial. Desejo que Deus lhe dê saúde e muitos anos de vida para poder acompanhar de perto o sucesso de seu filho John e de seus netos. Atenciosamente, tio Joe."*

Quando John decidir que é hora de comprar um carro novo ou o primeiro veículo do filho, quem você acha que ele vai procurar? Que vendedor John provavelmente indicará a um amigo que pensa em trocar de carro?

Essa atenção dada por Joe Girard aos seus clientes mesmo depois da negociação concluída fazia com que ele fosse lembrado pelos clientes toda vez que eles precisassem de algo que ele vendia. O Professor fez o mesmo com sua equipe. Não se tratou apenas de convencer alguns especialista a efetuar um roubo em uma data marcada. Sergio Marquina manteve-se próximo o tempo todo, na verdade bem próximo mesmo, já que todos ficaram seis meses juntos, em uma preparação integral para o assalto. Com isso, ele construiu o relacionamento necessário e se mostrou presente para qualquer adversidade que surgisse – e todos integrantes perceberam isso.

Existe um dito popular que diz o seguinte: "Quem não é visto não é lembrado". Tanto Joe como o Professor sabiam muito bem disso e buscavam gerar conexões para que fossem reconhecidos em seu meio.

Como passar meses em uma casa com o cliente é inviável e o envio de cartas está um pouco ultrapassado, pode-se muito bem usar o e-mail ou o LinkedIn para conseguir o mesmo nível de interação. O LinkedIn, considerado há algum tempo a maior rede social profissional do mundo (*informação perigosa de se colocar em um livro, já que em um mês tudo pode mudar*), é uma ótima plataforma para estreitar relacionamentos e contatos. Uma dica simples é se programar para enviar uma mensagem para alguém diferente da sua lista de contato todo dia. Pergunte se está tudo bem com ela, compartilhe uma notícia relevante, indique um livro (*pode ser esse!*) ou simplesmente informe que se lembrou dela.

Se o tempo é um vilão para se fazer esse processo de forma manual, existem algumas automações e sistemas que favorecem essa interatividade. Hoje, muitas empresas têm apostado em listas de interesse. A continuidade do contato ocorre por meio de e-mails pré-programados. Assim, criam-se "iscas" com conteúdos e informações de interesse na internet, em congressos/eventos presenciais ou em pontos onde seu consumidor circula para conseguir o contato de e-mail e telefone. Da posse desses dados, a comunicação e o relacionamento com o público são iniciados. Posteriormente, uma oferta é feita.

O maior vendedor do mundo também apostava no poder da indicação ou, como ele mesmo chamava, no "sistema de perdigueiros". Joe Girard fazia o seguinte: os clientes que indicassem outros clientes ganhavam uma comissão de 25 dólares se o negócio fosse realizado. Esse tipo de ação representava um terço de todas as suas vendas.

Essa estratégia acaba sendo muito útil para outros setores, principalmente pelo fato de hoje em dia as pessoas acreditarem menos em publicidades tradicionais e vendedores. Uma pesquisa da Futurolab apontou que 77% das pessoas não acreditam em anúncios feitos por empresas. Ou seja, quando alguém próximo ou conhecido indica e chancela determinado produto ou serviço, isso cognitivamente nos desarma. Nós acreditamos mais naquela pessoa – que não possui interesse comercial – do que em qualquer empresa destacando o seu próprio produto.

Há diversos tipos de recompensa: dinheiro, desconto, brinde, interação social etc. Quando a recompensa é atrativa ao olhar do cliente, ele se sente mais motivado a colaborar na indicação. O Dropbox (plataforma de armazenamento de conteúdo e arquivos na nuvem) utilizou o poder da indicação para aumentar sua base de usuários. Depois de um pequeno crescimento proporcionado pela publicidade tradicional, a empresa adotou a seguinte estratégia: as pessoas que indicassem novos usuários ativos ganhariam mais espaço de armazenamento. Isso fez com que o Dropbox multiplicasse o número de cadastrados rapidamente. Em apenas dezoito meses chegaram quatro milhões de novos usuários.

A Uber é outra empresa que apostou em um sistema de "recompensa", oferecendo bônus toda vez que um cliente indica um novo motorista para o serviço ou quando alguém indica novos passageiros. Se o novo motorista for indicado por outro que já trabalha para a Uber, os dois ganham um bônus. No caso de indicação de novos passageiros, o novo usuário e o usuário que fez a indicação ganham desconto em uma corrida. Isso fez com que o aplicativo obtivesse alavancagem a um custo por aquisição de novos usuários bem mais baixo do que conseguiria por meio de publicidade.

COMO LIDAR COM OBJEÇÕES

Você examina o cenário e ele parece positivo: seus vendedores têm características de fora de série, seu produto é de qualidade, a proposta de valor foi bem alinhada e suas técnicas de captação e fidelização são as melhores possíveis, assim como o formato de relacionamento com o público. Tudo conspira para uma situação de grandes vendas, correto? Que você está no caminho certo, não há como negar, mas mesmo com todos esses processos organizados, uma palavrinha será muito ouvida: "Não!". E isso significa uma venda não efetuada.

Por isso, a preparação do discurso argumentativo é fundamental para você não cair nas famosas recusas já enraizadas pelo outro lado. Em *La casa de papel*, vemos muitos personagens tendo que encarar diversas objeções, algumas contornadas com sucesso, outras nem tanto. Separamos quatro delas:

Eu preciso de mais tempo para pensar

Muitos vendedores ouvem de seus futuros clientes que eles precisam de mais tempo para pensar. Se você puder sanar todas as dúvidas do cliente durante o processo da negociação, as chances de receber um "sim" (e efetuar a venda) aumentam consideravelmente.

SPOILER!

Denver não escondia sua paixão e sua vontade de que Mónica Gaztambide fugisse com ele, principalmente depois que ela acertou Arturo Román (seu ex-companheiro e chefe) na cabeça. Até um passaporte com nome falso ele a incentivou a fazer e, ainda assim, ela disse que precisava de mais tempo para pensar. Então, Denver buscou saber os motivos que a faziam ser resistente à ideia. Com essa informação, ele apontou soluções e caminhos satisfatórios para ela, o que resolveu seus dilemas e a convenceu a fugir com os assaltantes.

Seu produto é muito caro

O valor a ser cobrado não será um problema se o cliente reconhecer os benefícios do seu produto/serviço. Por isso, quando a objeção for causada pelo preço, esclareça e reforce todas as vantagens que o comprador terá a partir do momento da aquisição. Se o produto for relevante para ele, não há preço que ele não pague. Dentro de um cenário real, apresentar as opções de pagamento em parcelas também é outra forma de combater essa resistência.

SPOILER!

Moscou estava à beira da morte após levar três tiros no abdômen. Apenas uma cirurgia poderia salvá-lo. Com a polícia impedindo o acesso de médicos à Fábrica Nacional de Moneda y Timbre, não restou dúvida: o Professor ofereceu 10 milhões de euros para um médico realizar a operação assim que conseguissem abrir a passagem que ligaria o esconderijo à casa da moeda. O preço nesse caso foi irrelevante, já que a necessidade de salvar a vida de Moscou era grande.

Estou satisfeito com o que já tenho

Para quebrar essa barreira, após mostrar todas as vantagens do seu produto, surpreenda o cliente oferecendo uma versão demonstrativa do item em negociação. Com isso, você permite que ele tire as próprias conclusões, ao comparar o novo modelo em relação àquele que ele já possui. É importante acompanhar o consumidor nessa fase de teste e auxiliá-lo em suas eventuais necessidades. Ainda assim, ele só irá se convencer caso o produto oferecido seja de fato melhor do que o outro que ele já possui.

SPOILER!

O subinspetor Ángel Rubio sempre foi apaixonado pela inspetora Raquel. Entretanto, em suas últimas investidas, ela sempre indicou que estava satisfeita com seu novo relacionamento. Ele tentou "vender o seu peixe" novamente, mas ainda assim não conseguiu se livrar da objeção. Na vida real, sem dúvida, essa é uma das mais difíceis a serem vencidas, pois é necessário convencer o cliente de que realizar a troca será positivo. Na situação de Raquel, entre Salva e Ángel, ela preferiu continuar com Salva.

Você pode me ligar mais tarde? Pode me enviar informações depois?

Quem trabalha com vendas já escutou essas frases, cujo objetivo é dispensar o vendedor e finalizar a conversa. Para resolver essa objeção, realizar perguntas adicionais sobre qual tipo de informação o cliente deseja ou sobre as dúvidas que ele tenha sobre o produto/serviço são formas de direcionar a conversa para um resultado mais satisfatório. As respostas podem trazê-lo para perto, diminuindo as barreiras e deixando-o mais aberto a considerar a compra. Definir um horário mais conveniente para retornar a ligação também pode favorecer o negócio. Tanto o Professor como Raquel utilizaram esse artifício nas negociações por telefone, buscando limitar um tempo para ter a resposta do outro. Assim, não seriam enrolados pelo outro. Apesar das objeções serem problemas reais, é possível revertê-las, absorvendo as informações necessárias para guiar a conversa rumo às vendas.

O QUE APRENDEMOS NESTE CAPÍTULO

Neste capítulo foram apontadas algumas características comuns dos vendedores fora de série: automotivação, resiliência, comunicação, inteligência emocional, capacidade de ouvir, busca de constante evolução e amor pelo que se faz. Além disso, falamos sobre como é importante estar sempre aberto (ou seja, 24 horas) às oportunidades que surgirem para vendas e negociação. Essa postura gera possibilidades de negócios e contatos que muitas vezes podem trazer resultados inesperados.

O processo de gerar empatia, ou seja, de se colocar no lugar do outro é um diferencial de vendedores bem-sucedidos, assim como gerar relacionamentos e identificar pontos de conexão com os clientes. Vimos também que o corpo fala e gestos podem gerar proximidade ou indicar que um contato não está indo nada bem. O capítulo também apresentou técnicas de vendas poderosas, como se manter próximo de clientes já conquistados e criar um processo de bonificação pela indicação de seu produto/serviço. Vimos, por fim, como contornar uma série de objeções que muitas vezes impedem a realização de uma compra.

5. INOVAÇÃO

"Meu pai assaltava bancos e morreu fazendo isso. Eu resolvi fazer de um jeito diferente."

O TOQUE ESPECIAL PARA SURPREENDER TODOS

Não há dúvidas de que o assalto à Fábrica Nacional de Moneda y Timbre tramado por Sergio Marquina, o Professor, foi mesmo uma fantástica obra de vanguarda. Ninguém na história conseguiu ser bem-sucedido em um crime do gênero e, na prática, não roubar nada de ninguém. A estratégia deu um nó nas forças policiais porque usou e abusou do não convencional, de modo que os assaltantes estivessem sempre um ou vários passos à frente. Sim, *los atracadores de rojo* estão para o mundo do crime quase como o iPhone está para o mercado de tecnologia: são surpreendentes, eficientes, encantadores e difíceis de copiar.

O lançamento do iPhone foi um choque. O mundo ficou atônito com todas aquelas novas possibilidades, mas não suficientemente atordoado a ponto de fazer daquela novidade algo inviável. Steve Jobs teve o *timing* perfeito. Marquina também. A Europa, e a Espanha particularmente, passava por uma profunda crise financeira, econômica e social. A população via, revoltada, governos fazerem "injeções de liquidez" em grandes bancos enquanto cortava direitos trabalhistas e serviços básicos. Era o ambiente perfeito para os assaltantes vestidos de Dalí saírem como heróis. Afinal, venderam-se como pobres oprimidos, dizendo que estavam fazendo o mesmo que o governo – "injeção de liquidez" – não em bancos, mas em seus bolsos, algo que grande parte da população adoraria fazer.

O iPhone não se atreveu a criar necessidades. Ele explorou demandas reprimidas. As redes sociais primitivas, como MySpace, Fotolog e Orkut, já tinham feito o trabalho de estimular novos hábitos: exposição, interação, rapidez etc. Steve Jobs ofereceu o produto certo na hora certa, um lançamento que causou a sensação de "era isso o que estava faltando" em um público sedento por novidades. O plano do Professor teve o mesmo efeito. Ele não resolveu roubar o que ninguém jamais tinha roubado. Não quis reinventar o conceito de assalto. Simplesmente criou uma nova solução para o objetivo estabelecido.

Note bem que a Apple também não inventou o conceito de *smartphone*. Antes do iPhone, no início dos anos 2000, o Blackberry fazia o maior sucesso, sendo visto como a grande vanguarda da década. Mas as coisas começaram bem antes. O primeiro protótipo de algo parecido com um telefone inteligente foi patenteado em 1974. Em 1909, o genial Nikola Tesla já trabalhava para unir telefonia e processamento de dados. Por que só Steve Jobs conseguiu colocar um iPhone na praça?

A estratégia de mercado de qualquer produto vai sempre levar isto em conta: não ser facilmente replicável. Obviamente, o mar azul de quem sai na frente não dura para sempre. O do iPhone, por exemplo, já ficou turvo faz tempo. Hoje existem dezenas de empresas que fabricam concorrentes do aparelho de Steve Jobs, como Samsung, Motorola, LG e tantas outras. Mas os mais eficientes nessa tarefa conseguem ganhar um bom tempo para que, mesmo com a chegada de novos entrantes, mantenham-se sempre um passo à frente, como o iPhone em relação aos seus adversários e também como o time do Professor em relação à polícia.

E o que diferencia esses vencedores, esses líderes de prova que se mantêm sempre algumas voltas à frente dos segundos colocados? Talvez você responda "domínio da tecnologia". E sua resposta pode até estar parcialmente certa em alguns aspectos. Mas só isso não é suficiente. A essência é a visão de mercado e a capacidade de aperfeiçoar experiências já existentes.

No Capítulo 1, quando falamos sobre liderança, ressaltei que nós, humanos, somos majoritariamente seres assimiladores e que prosperamos porque conseguimos, por meio da cultura, transmitir às gerações futuras o que as anteriores fizeram, pensaram, tentaram, erraram. O processo de construção de um líder de sucesso é, na verdade, um processo contínuo de inovação. Se um líder não se transforma junto com o mundo no qual lidera, ele perde essa capacidade. Com empresas, produtos e serviços não é diferente. Se Tesla não tivesse resolvido desbravar a ideia de unir telefonia e computação lá no início do século passado, talvez as coisas não tivessem evoluído da mesma maneira. E se em 1974 a patente do primeiro protótipo de *smartphone* tivesse se transformado em, pelo menos, um Nokia com o jogo da cobrinha, talvez o mundo que só conheceremos em 2056 já fosse realidade hoje.

Você consegue perceber com esses exemplos quanto a inovação é responsável por ditar os rumos da nossa história e de que maneira o *feeling* para as demandas de consumo e a capacidade de reaproveitar ideias são fundamentais para que tudo aconteça?

Em todo o plano do Professor não havia nada que já não houvesse sido usado antes: túneis, tomadas de assalto, armas, controle de câmeras de segurança, meios de comunicação analógicos para uso interno, negociação com a polícia, enrolação para ganhar tempo, reféns. Mas ninguém conseguiu unir tudo isso com tamanha maestria.

Inovar é, acima de tudo, uma atitude. Uma frase muito interesse sobre isso é de Arthur Fry, criador do Post-it, papelzinho que tem uma pequena faixa adesiva atrás, muito útil para deixar recados e lembretes na porta da geladeira ou na lateral do computador. Ele conta que muitas pessoas já lhe disseram: "Eu também tive a ideia de fazer um papel adesivo". E aí ele costuma responder: "Por que nunca fez nada em relação a isso?".

Ideias não são absolutamente nada se não se transformam em ações. Isso é um ponto. Uma verdade. Mas é verdade também que uma ideia *não* precisa morrer se não gerar uma inovação instantaneamente. Às vezes, o empurrão necessário só acontece muito depois, e a transformação gerada pelo empurrão só é possível porque havia o que empurrar.

Na vida, tudo é processo. Há processos que levam anos, décadas, séculos, milênios para se concluírem. Alguns nem conseguimos saber ao certo se chegaram ao fim ou se ainda estão acontecendo. Imagine só que há pelo menos 40 mil anos resolvemos desenhar nas paredes de cavernas. Há mais de 4,5 mil anos os egípcios resolveram fabricar papiros e registrar neles informações importantes. Há cerca de 600, Gutenberg criou a imprensa. Depois vieram as máquinas de escrever. Os computadores. Hoje você recebe e compartilha informações pelo celular.

O registro escrito, oral, visual é um processo contínuo de inovação. Meios têm surgido e desaparecido ao longo de milênios. E tudo se desenvolve destruindo e, ao mesmo tempo, reaproveitando o que veio antes.

O iPhone não é uma tecnologia alienígena que os marcianos entregaram secretamente a Steve Jobs para que ele a difundisse na Terra. O que o diferencia é o conjunto da obra e a maneira como todos os elementos estão combinados. Estou dizendo que o aparelho mais inovador dos últimos anos é só um apanhado de cacarecos que já existiam e se mantém líder simplesmente por abarcar mais cacarecos ao longo dos anos? Não. A Apple trabalha dia e noite para gerar mais inovações, criar novas tecnologias, aperfeiçoar produtos. Mas não faz isso com passes de mágica. Tudo é parte de um processo amplo, que podemos compreender melhor entendendo o que é *design thinking*.

DESENHANDO O PROCESSO DE INOVAÇÃO

Se você tem curiosidade e já explorou o tema inovação em algum momento, muito provavelmente já se deparou com o conceito de *design thinking*. De maneira objetiva, podemos dizer que se trata da sistematização do processo de inovação, que vai da fase de imersão à de aplicação, considerando que imersão é a entrada no problema para compreendê-lo e a aplicação é o desenvolvimento da solução. Com esse percurso sistematizado, podemos gerenciar melhor a busca por soluções inovadoras, em vez de simplesmente deixarmos essa demanda à mercê de um *insight* iluminado que talvez nunca venha.

Para a inovação acontecer, as pessoas precisam ter espaço para pensar, tentar e errar até encontrarem uma solução ou desistirem da busca. Mas isso deve ocorrer dentro de um contexto que facilite a realização de todas as etapas, que incluem, entre a imersão e a aplicação, também a ideação (criação de modelos) e a prototipação (montagem e teste desses modelos), levando em consideração que tudo isso passa por uma série de avaliações e tomadas de decisões.

Na obra do Professor, percebemos de maneira muito clara a aplicação do conceito de *design thinking*. Note que o plano, mais do que um guia de ação, é um mapa do que pode dar errado. E isso só foi possível porque o estrategista mergulhou no problema e conseguiu identificar, senão todos, os mais importantes desdobramentos que cada movimento do seu xadrez poderia causar.

SPOILER!

Lembre-se de quando os policiais tentaram aproveitar a fragilidade emocional de Rio para convencê-lo a trair o grupo. O Professor sabia desde o início que isso (o problema) poderia acontecer. Ele se dedicou a encontrar e mapear as fraquezas de todos os seus assaltantes. Quando notou que Rio era muito emotivo e representava um risco, viu-se em um dilema: excluí-lo do projeto e perder um *hacker* fantástico ou mantê-lo e correr o risco. Ele optou pelo risco, mas agiu imediatamente para minimizar as chances de danos.

Entramos agora nas entrelinhas da cena em que o Professor diz para Tóquio que vai "demitir" Rio, ainda na casa de Toledo. Ela não aceita e usa todos os argumentos possíveis para conseguir que o chefe mude de ideia. E é aí que o Professor dá sua grande cartada: deixa Rio ficar, mas joga para Tóquio a responsabilidade de mantê-lo na linha. Ao mesmo tempo, ao longo do treinamento, trata de conquistar de forma inquestionável – e consegue – a confiança da assaltante.

Lá na frente, o que faz com que Rio não aceite a proposta da polícia é justamente sua paixão por Tóquio, que é leal ao grupo e não perdoaria o namorado pela traição.

É óbvio que no mundo real nem sempre as coisas se encaixam tão perfeitamente. Mas esse exemplo ilustra muito bem como ocorre o processo de mergulhar em um problema e nadar, nadar, nadar até encontrar uma maneira de resolvê-lo. Entenda o percurso:

1. **Imersão**: o Professor identifica que uma peça-chave do seu xadrez pode lhe fazer perder o jogo e então se pergunta como resolver aquele paradoxo.
2. **Ideação**: ele levanta as possibilidades e as coloca na mesa.
3. **Prototipação**: ele monta um plano de ação para cada uma das saídas possíveis e o testa.
4. **Desenvolvimento**: após o teste, ele percebe qual alternativa oferece o melhor custo-benefício e a executa.

Isso é o que o Professor fez, o que a Apple faz, o que Tesla fazia (mesmo que de maneira pouco sistematizada) e o que os responsáveis pelas próximas grandes inovações do mundo farão.

No contexto organizacional, para que isso aconteça, uma figura é essencial: mais uma vez, o líder.

O PAPEL DO LÍDER NO PROCESSO DE INOVAÇÃO

Em qualquer organização, a figura do líder é crucial para toda iniciativa. Nos processos de inovação não poderia ser diferente. Você pode ser um lobo solitário e criar as coisas mais fantásticas do mundo, mas quando nos atemos mais precisamente à inovação corporativa, o trabalho não é tão simples. Primeiro, porque organizações têm objetivos. Lobos solitários são livres para pensar e agir como bem entenderem. Nas organizações, há também hierarquias, controles. Se não existir um líder capaz de abrir espaço entre essas barreiras para que as pessoas tenham ideias e trabalhem para promover inovações, as coisas provavelmente não vão acontecer.

Assim, o líder é o elemento-chave para a inovação dentro das organizações: ele tanto pode ser o responsável por promover um ambiente fantasticamente inovador como pode manter a empresa nas trevas. Ele é o dono das chaves do portão nos mais variados níveis e setores da companhia. Muitas vezes, inclusive, é por isso que alguns departamentos ou grupos de ação conseguem ter resultados extremamente distintos trabalhando pelos mesmos objetivos.

E aqui cabe um ponto importante: inovar não é apenas criar o iPhone, inventar a Amazon, lançar o Facebook. Se a pessoa que serve o cafezinho encontrar um jeito eficiente de agradar tanto os que querem pouco açúcar como os que querem muito, reduzindo seu trabalho e agilizando a distribuição, ela é inovadora. Se seu colega do lado dá um jeito de acertar a temperatura do ar-condicionado para acabar com a guerra entre os calorentos e os friorentos, ele será um inovador. Se você der um jeito de otimizar os processos da sua organização para que ela gaste menos e ganhe mais, você será um inovador.

O líder que consegue entender isso sabe que a inovação não precisa de *glamour*, mas pode acontecer em todos os espaços e é condição básica para qualquer organização que deseja crescer. O líder precisa ser um fomentador. Precisa ser tolerante. Precisa enxergar além.

O caso de Tony Hsieh, fundador da loja on-line de calçados Zappos, exemplifica bem esse ponto. A empresa virou referência em atendimento ao cliente. E a cultura interna que deu sustentação a esse modelo único no mundo e extremamente inovador só se desenvolveu porque o próprio Hsieh se colocou como seu catalisador no dia a dia da empresa.

Na Zappos, os clientes podiam pedir diferentes modelos, experimentá-los em casa e devolver os que não fossem comprar. O custo desse ir e vir era contabilizado como investimento em marketing: essas pessoas sempre voltavam e compravam mais.

Ao mesmo tempo, os serviços de vendas e atendimento da empresa não agiam com base em roteiros. Os atendentes e vendedores passavam previamente por um treinamento intenso e, quando definitivamente mergulhados na essência da empresa, agiam com liberdade para gerar os resultados buscados. No livro *Satisfação garantida*, em que fala sobre a história da companhia, Hsieh conta o caso de um cliente que pediu ajuda no SAC da empresa para comprar uma pizza, porque não estava conseguindo encontrar nenhum restaurante aberto, e a atendente providenciou contatos de oito pizzarias em funcionamento na hora. Coloque-se no lugar desse cliente: ele pensaria em outra loja na hora de comprar calçados?

Foi por essas e outras que a Zappos acabou sendo comprada pela Amazon por quase 1 bilhão de dólares.

Continuemos! É dever do líder também oferecer espaços nas rotinas diárias para que as pessoas pensem, troquem ideias, unam pontos. Às vezes, a solução para um problema que se arrasta por semanas pode surgir da pausa para o café: dois ou três membros da equipe fazem um intervalo para falar de amenidades e acabam enxergando, juntos, uma saída cuja origem não tem nada a ver com o problema em questão.

Um dos empreendedores mais respeitados do Brasil, Ricardo Semler, é uma grande inspiração nesse aspecto. Na década de 1980, o executivo trouxe uma forma não convencional de administração para Semco S/A. Para você ter ideia, entre outras coisas, ele criou na empresa um comitê chamado "C tá loko". O princípio era bem simples: um fórum de ideias diferentes que só aprovaria alguma delas se alguém dissesse a frase "Você está louco!".

O fato é que a inovação pode acontecer com o mínimo de recursos, mediante boas ideias que se provem realizáveis na prática. Pequenas atitudes podem mudar de forma muito positiva o rumo de um negócio. Vejamos aqui mais um exemplo: a rede varejista Walmart, que vende desde grandes eletrodomésticos a produtos de cesta básica. Ao verificar que clientes que compravam itens grandes como eletrodomésticos não levavam nenhum outro produto, a rede passou a disponibilizar carrinhos de compra maiores.

Com isso, os consumidores continuavam no supermercado comprando outros produtos, mesmo levando os objetos maiores.

E olhe que a Walmart não é muito conhecida por ser uma referência em inovação. Suas rotinas na ponta do negócio, que são os caixas e os assistentes de vendas das unidades, são bem tradicionais. Inclusive, o grupo vem perdendo o espaço global que conseguiu conquistar. Se fosse mais aberto e soubesse captar a inteligência coletiva de sua imensa equipe, talvez tivesse feito mais do que oferecer um carrinho maior.

E isso nos leva a um outro ponto importante: a cultura de tolerância ao erro.

ERRAR É PRECISO

Empresas apegadas à cultura de reprimir o erro não vão muito longe. Todos os grandes sucessos do mundo originaram-se de inúmeros erros. No processo de inovação, o erro é livre. A tentativa é livre. Se não for assim, dificilmente o resultado aparecerá. E, em muitos casos, o próprio erro acaba se transformando em um acerto inesperado e fantasticamente lucrativo.

O Post-it, do qual falamos no início deste capítulo, é o produto mais famoso do portfólio da 3M. Mas quase foi parar no lixo. Em 1968, um químico chamado Spencer Silver conseguiu desenvolver um adesivo que, quando necessário, podia ser facilmente descolado. Ótima ideia. Mas serviria para quê? Ele tentou encontrar uma aplicação, mas não conseguiu, e sua iniciativa começou a caminhar para o lixo.

Mas a cultura da 3M, já naquela época, não desprezava o erro. E estimulou Spencer a continuar tentando. Foi então que ele resolveu compartilhar a ideia com a rede de pesquisadores da companhia e Arthur Fry, o inventor que citamos anteriormente, recebeu o lançamento com maestria. Não deu outra: cabeceou para dentro e marcou um golaço.

Primeiro, Fry percebeu que aquilo seria útil para resolver um problema que enfrentava no coral em que cantava: em sua pasta de partituras, cada música era separada por um marcador, mas quando ele virava as páginas os papeizinhos saíam voando. Seria ótimo se pudessem ser colados e, quando removidos, não causassem danos às partituras. Assim surgiu o embrião do Post-it. Na sequência, ele conseguiu identificar outras aplicações, construiu a máquina capaz de produzir em massa o produto e organizá-lo em blocos e pronto: estava no mercado o grande sucesso da 3M.

O Viagra, medicamento usado no tratamento de disfunção erétil, é outro exemplo, embora não de erro, mas de um acerto que não serviu necessariamente para sua função primordial. O remédio foi criado originalmente para atuar no tratamento de hipertensão arterial pulmonar (HAP), uma doença rara, com escassas opções de medicamento. Entrar no mercado com uma solução mais avançada que as existentes para o problema não era uma má ideia.

No entanto, um efeito colateral percebido nos testes do medicamento se apresentou, no fim das contas, como um filão muito, mas muito mais vantajoso!

Há 150 mil casos de HAP por ano no Brasil, mas a disfunção erétil é muito comum, principalmente entre os homens com mais de 50 anos. Dados da OMS (Organização Mundial da Saúde) apontam que 30% de indivíduos do sexo masculino no país sofrem com o problema. São cerca de 62 milhões de pessoas!

O fabricante resolveu, então, empacotar o princípio ativo (citrato de sildenafila) de duas maneiras: Revatio (para HAP) e Viagra (para disfunção erétil), com diferenças apenas no formato do comprimido e nos miligramas de cada um.

Em *La casa de papel*, o núcleo policial é exatamente o oposto desses exemplos. Enxergamos nele, de forma muito evidente, a intolerância ao erro. É verdade que tomar decisões equivocadas ou adotar estratégias falhas poderia colocar a vida de muita gente em risco. Mas a inércia pode ser tão perigosa quanto.

Mesmo em situações menos dramáticas a intolerância ao erro reprimia ideias que poderiam render frutos.

SPOILER!

Um exemplo: a ideia de Raquel de armar uma armadilha para pegar o colaborador externo dos assaltantes no hospital em que Ángel estava internado enfrentou muita resistência, quase não aconteceu e, no fim das contas, foi a situação que proporcionou à polícia chegar mais perto do Professor.

Um ambiente carregado de pressões, disputas de ego e atritos pessoais (como o núcleo policial da série) dificulta o surgimento de inovações. Aliás, este é um dado importante: o ego é um dos maiores inimigos da inovação. Em uma empresa (ou mesmo um mercado como um todo) excessivamente voraz, que põe seus colaboradores sob escrutínio a todo instante e estimula a defesa da reputação a todo custo, as dificuldades para inovar são maiores, porque todos vivem com medo de errar – e quando tememos falhar, tentamos menos. Há uma frase clássica que é a mais pura verdade: "Se você cometeu muitos erros é porque fez muitas tentativas. Quem não errou, tentou muito pouco".

Faça um exercício mental: quantas vezes você tentou fazer algo diferente do comum hoje? Quantas vezes errou? Conseguiu encontrar a solução? Continua buscando? Desistiu? Vale a pena continuar?

Comece a fazer essa análise crítica cotidianamente, sem medo de julgamentos e com foco nos objetivos que precisa alcançar.

Não deixe seu ego comandar sua vida e conte para ele que a grande realização da qual ele tanto espera se orgulhar só vai acontecer se você estiver livre. Cometa erros. Errar é preciso. Os "falhadores" profissionais erram todos os dias para criar algo que, mais cedo ou mais tarde, revolucionará boa parte do mundo que conhecemos. E aí você vai ter que escolher seu lugar: ser o predador ou a presa.

Olhe torto para quem diz que nunca errou. Essa gente não merece confiança.

A DISRUPÇÃO NÃO É PACÍFICA

A Teoria da Evolução de Darwin não está viva só no processo de seleção natural das espécies. O mercado é uma competição diária pela sobrevivência e sempre há espécies sumindo e outras se transformando. Os dinossauros eram gigantes, soberanos da Terra, muito superiores a todas as demais espécies existentes. Mas sucumbiram. A Kodak tenta desesperadamente não se afogar. A Blockbuster morreu. Você, suas ideias e seu negócio também podem sucumbir a qualquer hora.

Toda inovação é assassina. Sim, isso mesmo! Sempre que uma ideia revolucionária chega ao mundo, antes de gerar os resultados para os quais foi criada, tem uma missão: destruir e sepultar a ideia que superou. E quanto mais eficiente no seu propósito produtivo, mais implacável ela é com a derrotada. Os computadores pessoais extinguiram as máquinas de datilografia. No futuro, talvez não existam mais táxis.

Só que as ideias conservadoras não se entregam sem lutar e têm a seu lado uma fatia imensa do mercado consumidor que costuma ser avessa a mudanças. Sem contar os interesses financeiros e instrumentos de poder que sempre estão em jogo e que, em muitos casos, são tão fortes que conseguem derrotar e sepultar as inovações.

No Brasil, esse país deitado em um berço esplêndido de contradições, os ideais liberais e republicanos chegaram causando alvoroço e as forças conservadoras, obviamente, foram para a guerra com todo o arsenal de que dispunham. De um lado, a realeza – então liderada por um imperador com uma visão mais progressista e aberto a uma revisão do modelo de governo que vigorava – jogou com as concessões: fez avanços no campo dos direitos civis, proibiu o tráfico de escravos, aboliu a escravatura de vez. Do outro, a aristocracia e as oligarquias regionais se uniram aos militares republicanos que depuseram a monarquia à qual estavam intimamente ligados até então. No fim das contas, a monarquia caiu. Mas os aristocratas e oligarcas continuaram no poder com quase todos os seus interesses preservados. A República, que seria a inovação, tornou-se apenas um rótulo, e ainda hoje não se consolidou em sua plenitude.

O que os aristocratas e oligarcas fizeram com muito sucesso não é em nada diferente do que os taxistas estão fazendo, do que a indústria de datilografia tentou fazer, do que os fabricantes de LPs fizeram.

SPOILER!

> Berlim também seguiu esse padrão quando viu seu modelo de liderança ser tomado pelo matriarcado de Nairóbi. Àquela altura, essa inovação tinha muitas chances de prosperar e promover os resultados planejados (fabricar bilhões e sair da ratoeira) de maneira mais eficiente (sem policiais na cola, no limite do tempo). Nairóbi conseguiu, inclusive, a bênção do Professor ao novo governo. Mas Berlim não tolerou ser subjugado, usou seus artifícios e esgotou o matriarcado a ponto de a própria Nairóbi devolver a ele o poder.

Uma história que começou nos primeiros anos do século passado também ilustra bem como uma inovação pode ser conflituosa. Um jovem nascido no pequeno vilarejo de Smiljan, no então Império Austro-Húngaro, hoje pertencente à Croácia, emigrou para os Estados Unidos com um objetivo: conhecer seu grande ídolo e trabalhar para ele. O jovem se chamava Nikola Tesla. E seu ídolo era Thomas Edison.

Na época, Tesla era um simples imigrante desempregado, sem um tostão no bolso, e Edison era uma celebridade, um *popstar* da ciência, em uma era muito parecida com a que vivemos atualmente, marcada por grandes descobertas e inovações tecnológicas. Por isso o encontro parecia improvável, mas Tesla tinha experiências profissionais como técnico e engenheiro em empresas de telefonia. Com o currículo e uma carta de recomendação em mãos, bateu na porta do escritório do inventor da lâmpada incandescente e pediu emprego. E conseguiu. Começou trabalhando na fabricação e nos ajustes das lâmpadas, mas evoluiu para projetos maiores até o dia em que propôs ao patrão redesenhar toda a estrutura industrial de sua produção para torná-la mais eficiente. Começou ali uma guerra.

Edison teria dito em tom de brincadeira que, se Tesla conseguisse, pagaria-lhe 50 mil dólares (naquela época, isso valia muito mais do que vale hoje). Tesla conseguiu e foi pedir o pagamento. Impressionado, Edison resumiu-se a dizer que era brincadeira e, para não desagradar, deu-lhe um pequeno aumento. Tesla se irritou e saiu da empresa.

Após um período de dificuldades, em que trabalhou em subempregos e chegou a passar fome, conseguiu uma nova ocupação, e dessa vez pôde colocar em prática sua grande ideia do momento (sim, "do momento", pois Tesla vivia tendo ideias grandiosas): criar um modelo de geração de energia mais eficiente que o de Edison, usando motores de corrente alternada (AC). O projeto deu certo, mas não vingou. Edison era muito poderoso – mais que um cientista, era um homem de negócios que dominava os mercados americano e europeu da época. A invenção de Tesla afundaria boa parte do seu império.

Por isso, somente depois de quase uma década a corrente alternada foi adotada pelo governo americano como modelo padrão. Tesla finalmente ficou rico e pôde dar início à sua jornada de invenções que, incompreendidas e à frente do tempo, acabaram sendo sua ruína pessoal. Porém, antes de se tornar um cientista maluco sem crédito no mercado, ele desferiu seu último golpe em Edison, lançando a lâmpada fluorescente, que passou a ameaçar a existência da lâmpada incandescente. Eis uma prova de que a guerra travada pelas inovações pode durar décadas – nesse caso, mais de um século. Afinal, apesar do advento das lâmpadas de LED, as incandescentes ainda podem ser encontradas em muitos lugares, embora sua venda tenha sido proibida em decorrência de sua ineficiência.

Pare e reflita: se o Professor não fosse ele mesmo o centro de poder, com um plano fantástico nas mãos e um carisma arrebatador, será que algum criminoso levaria a sério a ideia de fabricar dinheiro invadindo a casa da moeda da Espanha? Os investidores que acreditaram em Tesla ganharam muito dinheiro. Muito mais, no fim das contas, do que aqueles que continuaram com Edison. Mas houve uma parcela grande que preferiu a segurança ao risco. Se dependesse de um investidor do crime que bancasse sua aventura, talvez o Professor não conseguisse realizar sua façanha. Investidores talvez preferissem a segurança dos assaltos a carros-fortes e a joalherias. Mesmo os roubos tradicionais a bancos. Colocar dinheiro naquela loucura seria um risco muito alto.

Lembre-se sempre disso: uma inovação não é só uma boa iniciativa que vem para mudar o mundo. Ela é explosiva. Grandes inovações destroem para reconstruir. E enfrentam muitos obstáculos no caminho.

Salvador Dalí, cujo rosto é reproduzido nas máscaras dos assaltantes, disse algo muito certeiro sobre tudo isso: "É preciso provocar sistematicamente confusão. Tudo aquilo que é contraditório gera vida". Estar ciente das pedras no caminho é muito importante para não se deixar abater e desistir da caminhada.

Espero que este capítulo, assim como os outros que vimos até aqui, o ajude a alavancar seus negócios e sua carreira e que sirva como um motor para o estímulo à inovação em sua rotina.

O QUE APRENDEMOS NESTE CAPÍTULO

Vimos como o assalto arquitetado pelo Professor é uma alegoria perfeita das grandes revoluções tecnológicas atuais, entendemos como a inovação se processa nas organizações e a importância do líder nesse processo, e compreendemos que inovar é, antes de tudo, iniciar uma guerra.

Entendemos também que a inovação não precisa de muito para acontecer e que podemos sistematizar e promover o processo de desenvolvimento de ideias de maneira mais fluida.

Você conheceu também *cases* interessantes que ajudam a compreender melhor como a inovação se desenvolve na prática.

6. COMUNICAÇÃO

"Somos todos Camarões".

ÀS VEZES PREVALECE A LEI DO MAIS FRACO

Você que assistiu a *La casa de papel* já se deu conta de que do começo ao fim torcemos pelo sucesso dos bandidos e desejamos que as forças da lei fracassem? Não se sinta mal por isso. É que a série conseguiu provocar nos espectadores exatamente o que o Professor conseguiu fazer com a população durante o assalto: despertar a empatia pelo lado aparentemente mais fraco.

Em um determinado momento da preparação para o assalto, na casa de Toledo, o Professor pergunta aos assaltantes quem eles achavam que seria o vencedor em uma partida de futebol entre Camarões e Brasil. Todos responderam que, muito provavelmente, o Brasil ganharia. Depois ele fez o seguinte questionamento: para quem eles torceriam? Dessa vez a resposta de todos foi Camarões. Ou seja: a torcida não tinha nada a ver com resultado, mas com a identificação com o mais fraco. Além de nós, brasileiros, ninguém mais torceria pela nossa seleção em uma situação desse tipo. E olhe que em 2003, quando o escrete canarinho perdeu por 1×0 para os camaroneses, na França, até os brasileiros presentes no estádio ajudaram no grito de olé contra nosso time.

Um exemplo real e bem próximo de nós é o da greve de caminhoneiros que aconteceu em todo o Brasil durante dez dias no mês de maio de 2018. O movimento reivindicava melhorias nas condições de trabalho dos próprios caminhoneiros e não abrangia pautas de interesse geral, com exceção de alguns poucos pontos em que começaram a ser levantadas outras bandeiras. Os bloqueios feitos nas estradas provocaram desabastecimento em postos de gasolina, revendas de gás de cozinha e até mesmo em alguns supermercados. Mesmo assim, 87% da população apoiou o movimento, segundo levantamento do Datafolha. Por quê?

Os brasileiros se solidarizaram com os caminhoneiros, vistos como trabalhadores que sofrem diariamente com a distância de casa e o perigo das estradas para transportar tudo aquilo de que dependemos para viver. Ao mesmo tempo, viram no movimento um ato de bravura em meio à situação política caótica do país. Eles eram o elo mais fraco: trabalhadores simples, de bermuda e chinelos, contra o Estado brasileiro (executivo, legislativo, polícias e Forças Armadas).

Em *La casa de papel*, o Professor utilizou artifícios para construir uma imagem positiva de seu grupo, dignos dos esforços das grandes agências de relações públicas, marketing e publicidade. Por um lado, tratou de desqualificar seus opositores, aproveitando muitas vezes seus próprios deslizes; por outro, soube manusear com muita habilidade o sentimento da população com o momento social e econômico do país.

Essa estratégia depende, entretanto, do fluxo de comunicação. Sem a organização do discurso e o domínio eficiente de meios que espalhem a mensagem, de nada serve o posicionamento.

Ao longo dos tópicos a seguir compreenderemos melhor como funciona tudo isso.

PALAVRAS VALEM BILHÕES

Em todo cenário que envolve interesses individuais, interesses corporativos (e não só de empresas, mas de corporações de modo geral, como órgãos de polícia, por exemplo) e opinião pública, toda e qualquer palavra precisa ser muito bem avaliada antes de ser proferida. Nesses tempos em que as tecnologias de comunicação atuam de maneira cada vez mais ágil e imprevisível, o cuidado precisa ser redobrado. Não foi isso que aconteceu quando a inspetora Raquel Murillo resolveu negociar com o Professor, ao telefone, a libertação de reféns.

SPOILER!

Durante a conversa, a inspetora disse com todas as palavras que trocaria a libertação de oito reféns pela saída de apenas um: a jovem filha do embaixador britânico, Alison Parker.

O Professor gravou a declaração de Raquel e a divulgou à imprensa em um momento em que a situação não ia bem para os assaltantes. Imediatamente, a opinião pública se virou contra a inspetora, acusando-a de se ajoelhar aos interesses dos britânicos antes de se preocupar com as vidas espanholas que estavam em jogo. Pensando racionalmente, a situação com a refém estrangeira era grave, por envolver interesses internacionais do Estado espanhol. Tirá-la de lá daria mais liberdade para a inspetora agir sem as pressões do coronel Prieto, que liderava o serviço de inteligência especificamente para resolver a questão diplomática. Mas tudo tem momento e local certos para ser dito.

Na empresa, na faculdade, na reunião de condomínio, no trânsito, no boteco, em casa. Não importa o lugar ou a situação, a comunicação é um fator decisivo e crítico. É aquela arma potente que pode lhe ajudar a enfrentar um exército sozinho, mas que oferece um grande perigo simplesmente por estar com você. Com ela em jogo, o que o separa de uma vitória gloriosa de uma tragédia sem precedentes é apenas um movimento.

A Coca-Cola não é a marca mais forte do mundo porque vende bons refrigerantes. Na realidade, compramos o que ela representa. A ideia que temos da Coca, da Fanta, da Sprite, dos sucos Del Valle e de tantas outras submarcas da gigante corporação é fruto de uma comunicação feita de forma estratégica ao longo de décadas.

Da mesma forma, muitas marcas apanharam e ainda apanham porque meteram os pés pelas mãos ao resolverem embarcar em aventuras comunicacionais, principalmente nas redes sociais, com "ideias geniais" que não levavam em conta todos os fatores de risco e conseguiram resultados diametralmente opostos aos desejados. Principalmente nos primeiros anos de furor em relação ao Facebook, várias tentaram ser engraçadinhas, conquistar *likes*, gerar compartilhamentos e, nos melhores casos, só conseguiram tomates.

Assim como na negociação entre o Professor e Raquel Murillo, há sempre cifras altas em jogo quando tratamos de comunicação empresarial. E digo cifras altas sempre tomando como referencial o capital de quem joga. Se você é uma confecção internacional e sofre uma campanha de boicote, seu prejuízo será de bilhões. Se é um lobo solitário com um carrinho de omelete *gourmet*, o prejuízo vai ser de algumas dezenas de reais, no máximo umas poucas centenas. Mas, proporcionalmente, a sensação de rombo vai ter a mesma dimensão. E ninguém quer entrar no jogo para perder. Por isso, aprenda a jogar direito.

UM JOGO SEM SURPRESAS

Antes de encararmos os holofotes, é importante abrir um espaço para tratar da comunicação interna. Times que se comunicam mal obtêm péssimos resultados porque, quando não erram, gastam o triplo do esforço e do tempo necessários para executar uma tarefa.

A primeira etapa de execução do plano do Professor, logo após o recrutamento, foi uma temporada de preparação intensiva, com todo o grupo concentrado na fazenda de Toledo. Nessa fase o quesito comunicação foi essencial. Afinal, Marquina tinha de transmitir todos os detalhes de sua estratégia e, para que o time aprendesse para valer, a comunicação exigiu uma estratégia própria dentro do plano maior.

A princípio, temos a impressão de que o processo de ensino/aprendizagem naquele período do casarão era simplesmente aquela coisa maçante do Professor com o giz na frente de um quadro. E, sim, isso fez parte da dinâmica, mas ela não se resumiu a isso.

Em primeiro lugar, Marquina precisou conquistar a confiança do seu grupo e o fez mediante uma comunicação compassiva. Ele ouvia com atenção seus liderados, colocando-se no lugar deles, e os incentivava a se colocarem nos lugares uns dos outros.

Nas organizações, as coisas não devem ser diferentes. Seja para a execução de tarefas rotineiras, seja para o desenvolvimento de um grande projeto, a comunicação é um item crucial. Líderes que não se comunicam bem desenvolvem equipes que se comunicam de maneira ainda pior. Por isso, tudo começa, mais uma vez, por ele.

A primeira atitude de um líder – seja o CEO da empresa, seja um gerente de setor – envolve a exposição clara de seu propósito, sua visão e seus métodos de trabalho. Quando você transmite com clareza onde quer chegar, a forma como enxerga o mercado e a organização e também a maneira como atua para alcançar os resultados, sua equipe consegue se situar melhor no jogo. Ela entra no barco sabendo onde ele vai aportar, qual é a rota e como o capitão vai pilotar durante o percurso. Já se eliminam as surpresas.

O segundo passo é definir fluxos eficientes para que a informação circule sem ruídos e cumpra seus objetivos. Muito provavelmente você já presenciou alguém dizer: "Ah, eu pensei que fosse para fazer assim!". Estou certo? Ou: "Fulano disse que eu deveria fazer desse jeito". Em casos desse tipo, o problema está sempre no ruído, que pode ser provocado tanto pelo emissor quanto pelo receptor.

Isso acontece frequentemente com profissionais mais jovens ou recém-chegados ao time que, na ânsia de serem eficientes, acabam saltando etapas importantes para a correta execução da tarefa. Mas acontece também com profissionais experientes, que exageram na autoconfiança e, certos de que já sabem de tudo, ficam cegos para detalhes novos que não faziam parte de sua rotina tradicional.

Em ambos os casos, o erro é fruto em grande parte da má comunicação, seja do líder, seja do próprio liderado. A disputa de egos muitas vezes faz com que as pessoas não compartilhem dúvidas e tentem executar uma atividade por conta própria, mesmo sem ter total segurança de como fazer. Por isso, é parte do processo de aperfeiçoamento da comunicação interna combater essa cultura. Lembre-se do que falei no capítulo anterior sobre a importância da colaboração.

É importante também que as organizações padronizem expressões e termos técnicos do trabalho executado interna e externamente, detalhem as instruções em vez de simplesmente pontuá-las e usem ferramentas de gestão para distribuir e acompanhar tarefas.

Existem hoje várias ferramentas *on-line*, algumas gratuitas, que são muito eficientes para esse propósito (é claro que as pagas oferecem mais funcionalidades!). Alguns exemplos são: Trello, Evernote, Runrun.it, Asana, Microsoft Planner, entre várias outras. E aqui cabe destacar que todas essas ferramentas têm como principal referência o *kanban*, um sistema de gerenciamento de produção criado pela Toyota na década de 1960 que, pela sua eficiência, é utilizado até hoje por empresas dos mais variados segmentos em todo o mundo.

O *kanban* funciona da seguinte maneira: tomando como referência a estrutura de um supermercado, com produtos nas prateleiras e nos estoques, ele simula a movimentação de entrada e saída de materiais indicando o que está disponível e o que está em falta com cartões. Por meio de uma sistemática de cores, determina-se o grau de prioridade de reabastecimento de cada produto.

O *kanban* foi essencial para que a Toyota conseguisse implementar outra estratégia popular, o sistema *just in time*, que permite às empresas atuarem de maneira eficiente, com o mínimo de estoque, evitando desperdícios e acúmulo de materiais.

Preste atenção apenas a um detalhe antes de mergulhar de cabeça nessa ideia maravilhosa: embora ofereça uma grande ajuda no quesito eficiência, trabalhar com o *kanban* para montar uma dinâmica de gerenciamento de estoques exatos pode trazer algumas surpresas. Em 2001, quando um terremoto devastou o Japão, muitas empresas tiveram que interromper sua produção, porque não havia como fazer reposição dos estoques de matéria-prima.

Mas voltemos ao tópico comunicação interna…

No trato interpessoal, reflita sobre se seus interlocutores realmente entenderam o que você falou e deixe espaço para que todos perguntem e tirem dúvidas. Essa postura vai ajudar muito a otimizar sua comunicação. Na realização de projetos especiais ou de qualquer outra atividade que fuja das rotinas já conhecidas, compartilhe de forma detalhada todas as informações, etapas, processos. Inclusive, é importante que todos os envolvidos entendam a iniciativa de ponta a ponta, porque em vários momentos setores diferentes podem ter de atuar no mesmo projeto.

Imagine que uma loja *on-line* de roupas vai fazer um desfile virtual para apresentar sua nova coleção. Essa é uma ação que foge totalmente à rotina comum da organização, cujas atividades usuais são gerenciar estoque, atualizar produtos no site, criar e administrar promoções, processar pedidos, despachar produtos etc. Mesmo que o desfile em si seja desenvolvido por uma empresa externa, contratada só para esse fim, a atividade causará impactos no fluxo da organização.

O desfile produzirá mais tráfego no site e a equipe técnica deve ficar atenta para evitar sobrecargas no servidor. Se o servidor estiver instável, os usuários que desejem comprar peças enfrentarão dificuldades na transação, o que vai gerar um volume incomum de demandas no SAC ou no *chat* em tempo real da loja. Também há dezenas de pessoas interessadas em comprar um produto exibido no desfile, mas sua disponibilidade no site é tão baixa que ele esgota rapidinho. Enfim, essas são só algumas situações que podem ocorrer nesse cenário hipotético caso a comunicação interna não seja eficaz: o servidor cai porque a equipe técnica não recebeu informações claras sobre a expectativa de público e dos desdobramentos da ação (a audiência do desfile produzirá mais tráfego nas páginas de produtos); a equipe de atendimento não consegue dar conta das demandas, e isso gera filas enormes nas entradas de contato ("Há 18 pessoas para serem respondidas antes de você. Aguarde") porque, por um lado, a falha no servidor não foi prevista e, por outro, não se esperava que os produtos fossem acabar tão rapidamente, fatores que geraram um grande aumento na busca por informações por parte dos consumidores.

Levar em conta todas as variáveis e comunicá-las de maneira clara para todos os envolvidos pode parecer exagero em algumas situações, mas é melhor pecar pelo excesso. Ou seja, é melhor que seu time saiba agir em situações que nunca vão acontecer do que ficar perdido caso elas aconteçam.

Esse exemplo hipotético do site jamais aconteceria com o Professor. Ao longo de toda a série, quando a polícia achava que poderia atuar de maneira surpreendente, os assaltantes já estavam preparados, porque foram bem informados sobre todas as variáveis. Eles sabiam, por exemplo, que haveria uma tentativa de infiltração, sabiam o que fazer se os reféns começassem a se rebelar, entre vários outros protocolos extremamente úteis durante todo o processo.

O PROFESSOR PODERIA SE CHAMAR MARSHALL

O filósofo canadense Marshall McLuhan causou furor entre os estudiosos da comunicação quando, em 1964, cunhou a célebre expressão "o meio é a mensagem". Naquela época, as teorias separavam de maneira muito clara os conceitos de emissor (quem fala), mensagem (o que se diz), meio (canal usado para transmitir a mensagem) e receptor (quem recebe a informação). McLuhan, no entanto, afirmou que, na verdade, os meios de comunicação interferem de maneira muito forte na mensagem transmitida. De forma bem resumida, ele postulou o seguinte: responder "alô" ao telefone é diferente de escrever "alô" no jornal, que é diferente de redigir "alô" em uma revista, que é diferente de dizer "alô" no rádio e/ou na televisão.

Na época, muita gente não deu muito crédito a isso. Mas é a mais pura verdade. Por quê? Nós, enquanto receptores de mensagens, aprendemos ao longo do tempo a construir juízos de valor a respeito dos meios. E a forma como enxergamos cada mídia e cada veículo determina em grande parte a maneira como interpretamos o que elas dizem.

Se espalharem no WhatsApp uma mensagem dizendo que um exército de marcianos invadiu a Terra, embora alguns inocentes acreditem, a grande maioria não vai levar a sério. Agora, se um plantão da Globo interromper a novela das nove, com William Bonner narrando exatamente o mesmo texto da mensagem do WhatsApp, mostrando as mesmas cenas exibidas no vídeo que você recebeu sobre o caso, vai bater aquele medão e sensação de desespero, não vai? Você vai começar na hora a rever seus conceitos e tudo aquilo em que acredita, certamente.

E aí, se outras emissoras de televisão e os portais oficiais desses grandes grupos começarem a dizer o mesmo, inclusive destacando a repercussão do caso na imprensa internacional, acabam-se todas as dúvidas e você começa a rezar para que Tony Stark realmente exista e apareça em algum lugar com sua armadura de ferro.

Pois bem, quando você vai pedir um aumento para o chefe, instruir um funcionário, publicar sua opinião, conversar com seus seguidores, gerenciar a comunicação da sua empresa, ONG, associação ou seja lá o que for, pense nos meios antes de escrever a primeira linha da mensagem. É por aqui que você inicia qualquer processo de comunicação. E essa regra é ainda mais importante quando o objetivo é se comunicar com o público externo.

Hoje nos comunicamos de forma quase simultânea por diferentes canais. Então, imagine que temos uma única informação e precisamos (ou achamos que precisamos) distribuí-la para o maior número possível de pessoas. O que fazemos, então? Saímos copiando e colando em todos os lugares: e-mail, grupo da empresa no WhatsApp, Facebook, Instagram, Twitter, LinkedIn e, se brincar, até carta. Muita gente vai ser impactada? Talvez sim, talvez não, por causa dos filtros que as redes têm hoje. Mas as pessoas vão prestar atenção no que você disse? O número já cai. Elas vão reagir de alguma maneira? Menos gente ainda. O resultado será o que você espera? Dificilmente.

Por quê? É simples: cada canal tem suas especificidades. As pessoas usam o WhatsApp para se comunicar com pessoas próximas, o Instagram para ver fotos de gente bonita e acompanhar a vida dos outros, o LinkedIn para fazer contatos profissionais, o Facebook para... (*Ok, no Facebook tem de tudo*). Checamos o WhatsApp a cada dois minutos.

Acessamos o Instagram de hora em hora. Ficamos com o Facebook aberto o dia inteiro se estivermos na frente de um computador. Só abrimos o LinkedIn quando queremos encontrar alguém (*com objetivos profissionais, que fique bem claro!*) ou arranjar trabalho.

Como uma mensagem replicada da mesma maneira em todo canto vai funcionar? Não vai. E quando o destino de sua informação é um público externo, não habituado a uma rotina particular, como o ambiente de uma empresa pequena em que todo mundo ocupa a mesma sala, as chances de haver ruídos e ineficiência na transmissão da mensagem é imensa se ela não for bem ajustada.

Estude a dinâmica de comportamento do público em cada meio que pretende utilizar. Em cada um deles, a estrutura dos textos escritos, imagens, vídeos e áudios deve ser modificada para que a mensagem se torne mais eficiente, e uma mensagem eficiente tem seu alcance ampliado. Portanto, teste, cheque os resultados e analise ponto a ponto. Você vai chegar à conclusão de que não precisa, necessariamente, comunicar-se por todos os canais existentes, perceberá que alguns mais atrapalham do que ajudam e conseguirá definir uma estratégia mais objetiva para suas expectativas.

Para o sucesso do assalto à casa da moeda espanhola, liderado pelo Professor, dois fatores foram decisivos: a opinião pública e a demora da tomada de decisão de invadir o prédio por parte da polícia. E o gênio Marquina explorou de todas as maneiras possíveis seus canais de comunicação para conseguir isso.

Por um lado, adotou um estilo conciliador na negociação com Raquel Murillo, conseguindo inverter o fluxo natural nesse tipo de situação: foi o assaltante quem ganhou a confiança da negociadora, colocando-se sempre de maneira tranquila ao telefone, ressaltando e garantindo a todo instante que os reféns estavam vivos e sendo bem tratados, sem fazer ameaças ou exigências que colocassem a polícia contra a parede. Quando resolveu tornar o discurso mais agressivo, o Professor já tinha movimentado a opinião pública a seu favor, mesmo sem ter dito uma palavra diretamente à população espanhola. O público externo os via como corajosos, diante de um aparato poderoso de repressão. O líder conseguiu isso explorando o contexto social, político e econômico do país no momento. Diante do governo conservador, que àquela altura não era popular, a escolha dos trajes vermelhos – cor historicamente associada aos movimentos de esquerda no mundo todo – não foi à toa.

SPOILER!

Quando percebeu que a opinião pública seria decisiva para retardar um pouco mais a invasão policial, o Professor partiu para ações mais ousadas. Primeiro, expôs a inspetora Raquel Murillo e o governo espanhol no caso da tentativa de liberação de Alison Parker, a filha do embaixador britânico. Depois conseguiu colocar Berlim ao vivo na televisão. Na ocasião, o assaltante desmentiu as calúnias feitas pela polícia, que o havia acusado de explorar sexualmente mulheres e crianças. Ele ainda construiu uma narrativa de oprimido, contando uma história de vida sofrida e colocando os assaltantes como pobres que se rebelaram contra o sistema.

O *grand finale* comunicacional do Professor ocorreu quando teve que encarar Raquel Murillo depois de ser desmascarado por ela. Aqui, ele explorou o discurso emotivo, ancorando-o no pilar mais sólido de toda comunicação: a verdade. Em nenhum momento Marquina negou ser o Professor. E, depois da descoberta, colocou em prática o último estágio de seu plano antes da fuga: convencer a inspetora de que os assaltantes eram bonzinhos e o Estado (governo e polícia, nesse caso) era o verdadeiro fora da lei.

Na série, para cada situação e cada canal diferente, o Professor organizou a mensagem de uma maneira, definiu um tom específico, segmentou o que deveria ser dito. Se o grupo simplesmente dissesse para a polícia que eram pobres se rebelando contra o governo, não teria dado certo. Concorda comigo que, em homenagem a McLuhan, o Professor bem que poderia se chamar Marshall? Fica a dica para o codinome da próxima temporada.

Mas lembre-se: descuidar dessas questões não oferece riscos só na ficção. O banco J.P. Morgan, por exemplo, protagonizou em 2013 um caso que exemplifica perfeitamente o que estamos falando aqui. Alguém teve a "ideia genial" de fazer uma seção de perguntas e respostas no Twitter da empresa. A ideia era que as pessoas levantassem questões sobre finanças, investimentos e coisas do tipo. Mas é óbvio que algo assim não daria certo em uma mídia de massa como era o Twitter naquela época.

O sistema financeiro de forma geral não gozava de muita simpatia entre uma parcela gigante da população dos Estados Unidos no período, depois de muitos bancos terem sido socorridos pelo governo com dinheiro do contribuinte durante a crise que assolou o país em 2008. Então, em vez de perguntas de clientes, estouraram mensagens com críticas ao banco usando a *hashtag* criada para a ação.

O que deu errado nesse caso? Escolha da mídia errada: se o banco tivesse feito a seção de perguntas e respostas em um sistema interno ao qual só clientes tivessem acesso, a ação poderia ter sido um sucesso. Adicionalmente, se o intuito fosse usar uma rede social, que tivessem pensado em outro tipo de ação.

Quando se trata de comunicação, todos estamos sempre à beira do abismo. Nunca falta muito para desencadearmos uma grande crise. E isso vale tanto para um discurso do presidente quanto para a conversa entre um casal. Comunicação é algo que sempre se faz na corda bamba. Por isso, não há outro jeito de fazer a travessia que não seja aprendendo a se equilibrar. Ouse, mas pondere antes de ousar. Simplifique: às vezes as mensagens mais simples são as que geram mais resultados. Assim você vai longe.

JOGANDO COM O QUARTO PODER

Em *La casa de papel*, o ponto mais importante das estratégias de comunicação – tanto da polícia quanto dos assaltantes – era a relação com a imprensa. Embora não detenham hoje em dia o mesmo poder de influência de outrora sobre os meios (e, portanto, sobre os discursos), as corporações jornalísticas impressas, radiofônicas ou televisivas ainda desfrutam de grande poder. Razões para isso incluem, por um lado, seu alcance ainda massivo e, por outro, o prestígio e a credibilidade adquiridos ao longo de várias décadas, mesmo que esses ativos tenham sido bem arranhados ultimamente.

Em um contexto de muitos questionamentos e pouca informação, o trabalho de repórteres profissionais funciona como balança da opinião pública. E o Professor soube jogar muito bem com isso.

SPOILER!

Primeiro, ao enviar para um veículo de mídia os áudios da negociação de libertação da filha do embaixador britânico. Depois, ao conseguir forçar a polícia a deixar jornalistas entrarem no prédio para entrevistar os assaltantes e mostrar à população que os reféns estavam sendo bem tratados.

E não podemos esquecer que é a imprensa que divulga a ficha criminal falsa de Berlim, forjada pela polícia; uma tentativa de manipulação que mais tarde acabou se voltando contra as próprias forças policiais quando ele teve a oportunidade de se defender ao vivo pela televisão.

Na vida real, você não precisa travar uma guerra de versões com a imprensa. O ideal, inclusive, é que nunca precise passar por isso. No entanto, considerando tudo o que aprendemos até aqui neste livro, reforço: o seguro morreu de velho. Evite o confronto, mas esteja preparado para o pior.

A qualquer momento você, sua empresa, sua categoria profissional, sua família ou qualquer outra pessoa ou organização que o envolva de alguma maneira podem se tornar alvo de uma cobertura da imprensa. Por isso, é muito importante que seja definida uma estratégia para lidar com crises.

Nas organizações, há uma série de recomendações que precisam ser seguidas nesse sentido. Estude-as mesmo se você não lida diretamente com o assunto na sua empresa, porque já servem de ajuda para o caso de um dia você ser o alvo.

Regra nº 1: Evite a fadiga.

Sim, seja esperto e faça de tudo para não criar problemas. Um funcionário falando besteira com o uniforme da empresa, um diretor reconhecidamente vinculado à organização dando declarações estapafúrdias, a própria organização infringindo normas, leis ou condutas morais e realizando erros de comunicação: tudo isso representa riscos potenciais. Nesse sentido, as mídias sociais merecem atenção especial, porque hoje pautam fortemente a agenda jornalística, e qualquer perturbação menor pode virar uma avalanche.

Regra nº 2: Entenda que calúnias são reais e podem destruir a sua empresa.

A imprensa tem pressa e, muitas vezes, julga e condena antes da Justiça formal. A imprensa erra e reproduz mentiras – às vezes sem querer, às vezes deliberadamente. Mas depois que o estrago está feito é muito difícil desfazê-lo. Temos muitos casos para ilustrar isso. Deixo dois aqui para você ter uma noção do que estou dizendo:
- **Caso Escola Base**: os proprietários, uma professora e um motorista de uma escola de educação infantil foram acusados pela imprensa de abusar sexualmente dos alunos, com algumas matérias chegando ao ponto de apresentar supostas provas de que eles haviam mesmo cometido os crimes. No fim das contas, todos os acusados foram inocentados, mas os danos à sua reputação não eram mais reparáveis: a opinião pública já os havia destroçado. A escola encerrou suas atividades, os acusados nunca mais conseguiram empregos e sofreram danos psicológicos permanentes. O caso aconteceu em 1994. Em 1995, as vítimas desse linchamento midiático processaram *Folha de S.Paulo*, *O Estado de S. Paulo*, *IstoÉ*, Globo, SBT,

Record, Band e vários outros veículos. Venceram nas primeiras instâncias, mas o caso ainda está tramitando nos órgãos superiores em Brasília e não foi concluído.

- **O monstro da mamadeira**: uma mãe foi acusada de matar a filha recém-nascida ao adicionar cocaína à sua mamadeira. Ela foi presa e espancada por outras detentas que ouviram falar do caso pela imprensa e a reconheceram. Depois de 37 dias, a polícia reconheceu o erro e a Justiça ordenou sua libertação. Em um livro publicado recentemente, ela conta que foi estuprada por um residente do hospital para o qual levara a filha doente e que a história da suposta cocaína foi uma tentativa de proteger o estuprador – que nunca foi punido –, desqualificando-se a vítima denunciante. Na época, toda a imprensa repercutiu o caso, e a mulher ficou conhecida como "O monstro da mamadeira", por supostamente ter colocado a droga no alimento da criança.

Deu um embrulho no estômago, não é? Esses são casos extremos que usei para provocar medo mesmo. Mas as empresas são as mais sujeitas a situações parecidas. Lembre-se de que alguns concorrentes não são leais e jogam sujo, assim como alguns consumidores em busca de indenizações.

Regra nº 3: Tenha uma estratégia de gestão de crises.

É difícil reagir a situações inesperadas. E é pior ainda se nunca levarmos em consideração que elas podem acontecer. Mesmo que você não consiga prever exatamente o problema, adote medidas para lidar com eles de maneira ágil e efetiva: tenha canais diretos de contato atualizados com a equipe, principalmente os tomadores de decisão; produza regularmente provas da boa conduta da sua organização (isso minimizará o espaço para ataques); construa uma relação positiva com seus *stakeholders* (sua imagem fala por você nesses momentos); capacite seus porta-vozes para momentos de crise (falaremos em mais detalhes sobre esse aspecto logo adiante).

Carregue essas regras para a vida, em especial a primeira, porque ter a imprensa como aliada é sempre a melhor estratégia. E é com isso em mente que, ressaltados os perigos e riscos dessa relação, falaremos sobre como construir um bom relacionamento com a mídia.

JOGANDO JUNTO COM A IMPRENSA

Existem várias estratégias de comunicação para que empresas, organizações e pessoas públicas (artistas, políticos e outras celebridades) se relacionem de maneira positiva com a imprensa. Nesse jogo, as boas assessorias de comunicação e as empresas de relações públicas são agentes fundamentais, pois não só dominam as técnicas, estratégias e linguagens como já têm pontes construídas com quem produz informação e forma opinião. Você, enquanto empresa, precisa saber o que buscar. E é isso que vou ensinar agora.

Presença midiática

Sua empresa, seja ela uma banquinha na feira ou uma megacorporação listada na bolsa, precisa de presença midiática. Isso não significa necessariamente aparecer nos telejornais, nas revistas de prestígio ou em grandes portais. Para grandes empresas, inclusive, a presença constante em mídias de massa não é interessante e o foco são canais segmentados. Por isso, o primeiro passo é fazer um levantamento dos seguintes pontos:
- Do que você precisa?
- Quais mídias seu público acompanha?
- Como chegar até elas?

De posse dessas informações, você vai definir como agir. Pode ser que, em alguns casos, criar uma página em uma rede social ou um blog resolva o seu problema. Mas o reforço positivo de uma mídia não atrelada ao seu negócio é uma chancela de valor inestimável, pois transfere a credibilidade que tem enquanto imprensa para o seu negócio.

Talvez não seja possível chegar a esses veículos sozinho. Você até pode ter bons contatos e conseguir emplacar algumas pautas, mas muitos veículos precisam receber a informação mastigada, oferecida de forma que apresente valor enquanto notícia, para se encaixar na linguagem jornalística. Uma boa assessoria de imprensa saberá fazer isso e mais: conhecerá com detalhes o caminho não só para conseguir colocar a sua empresa na mídia, mas também com um bom destaque. Se você não tem verba para pagar uma assessoria, pode buscar por profissionais *freelancers*, que muitas vezes entregam a mesma qualidade, com preço mais acessível (por não demandarem grandes estruturas nem intermediários).

Mas como as assessorias atuam? Elas constroem *mailings* específicos e segmentados para seu interesse, produzem *releases* (textos com linguagem jornalística sobre assuntos relacionados ou de interesse da sua empresa) para a imprensa, articulam a participação de integrantes da empresa em entrevistas e, em alguns casos, dependendo do pacote contratado, oferecem *media training* para porta-vozes, que nada mais é do que um treinamento sobre como se comunicar com a imprensa: como se portar, a melhor maneira de se colocar, comportamentos e colocações que devem ser evitados etc.

Muitas empresas mantêm canais específicos para oferecer voluntariamente informações sobre si para a imprensa. Isso é muito comum em grandes organizações, que têm salas virtuais de imprensa e profissionais de relações públicas.

Se sua organização é do tipo que precisa lidar com a imprensa de forma mais reativa do que ativa, ou seja, se a imprensa o procura mais do que você a procura (empresas de energia elétrica, órgãos públicos, serviços de telefonia, entidades representativas de classe, sindicatos, movimentos sociais – todos são frequentemente requisitados pela imprensa para dar declarações, esclarecer notícias, se posicionarem), é importante ter um banco de dados organizado para entregar as informações demandadas com agilidade e mediante avaliação do grau de risco do que vai ser liberado, como no caso de órgãos públicos, que, por lei, não podem negar informações à imprensa. Empresas privadas também devem buscar o máximo de transparência, mas, obviamente, reservando o direito de não tornar públicas informações estratégicas.

Contratar relações-públicas acessíveis e, de preferência, já conhecidos pela imprensa é interessante também, pois facilita o fluxo de comunicação e garante que as informações não vão acabar chegando à mídia antes de passarem pelos fluxos necessários dentro da empresa.

Por falar em fluxos, é importante também que o regime de avaliação e aprovação de *releases*, comunicados e declarações seja ágil. Como já dissemos, a imprensa tem pressa. A matéria vai sair, com seu posicionamento ou não. Se sua organização demorar demais, vai ficar de fora da reportagem e isso tira bastante força do seu lado, principalmente se a matéria for sobre algo negativo para você.

Enfim, lidar com a imprensa não é um jogo fácil. Mas, se você agir da maneira correta, colherá bons frutos.

O QUE APRENDEMOS NESTE CAPÍTULO

As duas maiores lições deixadas pelo Professor em *La casa de papel* foram: 1) comunique-se bem com seu time e 2) estude os meios para garantir uma comunicação eficiente com seus públicos, principalmente os externos.

Você viu também que seu ego é inimigo da eficiência e que achar que sabe de tudo e que não precisa se comunicar com os outros na hora de executar tarefas é um grande vacilo. Aprendeu ainda que manter um fluxo claro e objetivo de comunicação entre os integrantes de uma equipe, principalmente na realização de projetos especiais, é fundamental. E, por fim, foi alertado de que fazer comunicação é andar pisando em ovos e que tudo pode desandar a qualquer deslize.

Dedicamos neste capítulo grande espaço ao poder da imprensa e às maneiras como você pode se relacionar com ela. Você descobriu que a opinião pública é um elemento-chave em qualquer processo de comunicação de massa e que jornais, televisões e demais veículos tradicionais ainda exercem grande influência sobre ela.

7. MARKETING

"Quem escolheu as máscaras? Elas não dão medo. Em todos os filmes de assalto, elas dão medo."

POR QUE AMAMOS DALÍ E MACACÕES VERMELHOS

Imagine um universo no qual o corpo humano divide-se em inúmeros pedaços dos quais saem gavetas ou janelas; um universo no qual cavalos podem voar, peixes engolem tigres e relógios são tão rígidos como gelatina. Se você reconheceu as imagens desse mundo, possivelmente se lembrou de um homem magro, de expressões faciais caricatas e dono de um bigode fino, sinuoso e excêntrico.

Afinal, ele é o artista por trás desse mundo diferente, que muitas vezes representava um reino ilógico de sonhos, delírios ou da loucura humana. Salvador Domingo Felipe Jacinto Dalí i Domènech, ou simplesmente Salvador Dalí, tinha uma predisposição para escandalizar, e assim se transformou não só em um dos principais representantes da estética surrealista, mas também em um dos artistas mais emblemáticos do século XX.

A transformação do artista de vanguarda em celebridade *pop* teve como base o esforço de Dalí de chocar em cada quadro, escultura ou atitude, reforçando quanto podia a sua fama de "maluco". Na abertura de uma de suas exposições, por exemplo, o espanhol apareceu com roupas e equipamento de mergulho. Em outra ocasião, chegou para realizar um discurso em um Rolls-Royce repleto de couves-flores. Para promover o lançamento do livro *The World of Salvador Dalí*, produzido em parceria com o fotógrafo francês Robert Descharnes no ano de 1962, Dalí apareceu em uma livraria de Nova York deitado em uma cama de hospital, vestindo um robe dourado e ligado a uma máquina que media suas atividades cerebrais e pressão sanguínea. Quando alguém comprava um exemplar do livro, ganhava também um autógrafo e uma cópia da leitura da máquina.

Dalí fez mais sucesso do que qualquer outro artista surrealista por dois motivos, que andavam lado a lado: pela genialidade de suas obras, que de certa forma eram também acessíveis em termos estéticos e temáticos, e por saber aproveitar como ninguém a repercussão que seus quadros e sua personalidade excêntrica provocavam, o que o fazia ser sempre comentado.

A marca registrada do artista era pensar diferente, ser ao mesmo tempo surrealista e midiático, e utilizar uma máscara que o representasse foi uma sacada magistral para que o assalto à Fábrica Nacional de Moneda y Timbre – e a própria série – ganhasse uma característica marcante, permeada de significado e simbologia. O próprio nome adotado pelo Professor para se aproximar da inspetora, "Salva", é possivelmente uma referência a Salvador Dalí.

Símbolos, referências e marcas ajudam o cérebro humano a decodificar uma mensagem e a se lembrar dela posteriormente. Quanto às marcas, se mencionarmos uma maçã mordida, uma letra eme amarela, um cavalo empinado e a máscara do Dalí, é provável que você relacione essas características, respectivamente, à Apple, ao McDonald's, à Ferrari e à série que é tema central deste livro.

Além da excentricidade de Salvador Dalí, das máscaras e dos macacões vermelhos de *La casa de papel* ou dos logotipos de empresas como Apple, McDonald's ou Ferrari, o fator que faz de todos exemplos de sucesso em seus respectivos campos de atuação é a qualidade daquilo que realizam. Essa qualidade fideliza as pessoas. Inclusive, tenho certeza de que em algum momento o leitor escutou de alguém próximo que *La casa de papel* era uma série sensacional e que você deveria assisti-la. Isso se não foi você mesmo quem incentivou outras pessoas a conhecê-la! Quanto mais pessoas falarem, mais fácil cair no gosto popular, e isso tem a ver com a estratégia de marketing mais antiga do mundo: o boca a boca.

NA BOCA DE TODOS

    O mais recente relatório *Global Trust in Advertising*, da Nielsen, entrevistou mais de 28 mil internautas de 56 países. Dentre outras informações, o relatório indicou que a publicidade mais efetiva é aquela que origina-se diretamente de pessoas conhecidas: 83% dos entrevistados disseram confiar plenamente ou em grande medida nas recomendações de amigos e familiares. As pessoas apresentam um nível de confiança mais elevado quando entendem que a indicação de um serviço ou produto não possui qualquer ligação com publicidade. Quando se fala em internet, a influência do boca a boca alcança proporções ainda maiores, pois o alcance de um depoimento ultrapassa a barreira das pessoas que conhecemos. Dois terços das pessoas ouvidas para o mesmo relatório (66%) afirmam confiar nas opiniões dos consumidores postadas *on-line*.

    As redes sociais são grandes impulsionadoras desse processo. Já reparou quantas pessoas recorrem à opinião de outras nas redes quando estão na dúvida sobre um produto ou serviço? Muitos também aproveitam para recomendar ou criticar alguma coisa. Até mesmo propagandas com as quais as pessoas se identificam são compartilhadas em suas redes de contatos. A Netflix e *La casa de papel* experimentaram esse efeito com grande compartilhamento das postagens relacionadas. A série ainda recebeu uma ajudinha da cantora Sandy para gerar mais burburinho. Ela foi a protagonista da campanha promocional no intervalo entre a primeira e a segunda parte da série. Como já era possível encontrar e baixar os episódios da segunda parte em sites da internet, a Netflix utilizou a cantora na campanha "Escolhi esperar", que fazia alusão à fama de virgem da cantora. Nela, várias pessoas mostram que também resolveram esperar. No final do vídeo a cantora revela que a espera se refere à disponibilização da série pela Netflix.

    Mas não se engane, o boca a boca só costuma funcionar quando companhias, produtos ou serviços são fantásticos, o que faz com que o ato de comentar, compartilhar e recomendar valha a pena. Caso o produto ou o serviço sejam ruins, o boca a boca também acontece, contudo, não de forma positiva. Isso deixa o jogo do marketing até mais justo: os bons profissionais e produtos vencem e os ruins perdem.

Surpreender, nesses casos, é uma ótima ferramenta. A Southwest Airlines é um bom exemplo disso em um segmento que todos amam criticar: as linhas aéreas. A empresa construiu uma imagem de linha aérea amigável, popular e eficiente, passando a ganhar milhares de fãs e passageiros fiéis no momento do voo, sem a necessidade de investir pesado no marketing tradicional. Os gestores da Southwest Airlines reduziram os preços da passagem ao máximo, investiram pesado no treinamento da equipe, diminuíram a postura padronizada que as companhias aéreas geralmente possuem e passaram a agraciar os passageiros com surpresas inesperadas, muitas vezes envolvendo os próprios funcionários (como apesentar as instruções de segurança durante a decolagem cantando).

O marketing boca a boca tem essa característica especial: qualquer empresa, independentemente do seu porte ou segmento, pode começar a utilizá-lo. Não é necessário um plano incrível, um grande orçamento ou investimento. E ideias simples podem fazer a diferença. Em vez de dar um cupom ou uma amostra grátis, por que não oferecer dez de uma vez? Em vez de um cartão de agradecimento padronizado, por que não escrever à mão para os melhores clientes? Nem todas as estratégias darão certo, mas se alguma falhar, ninguém ficará sabendo, já que não se falará sobre ela. É possível testar algumas opções, verificar as ações que dão certo. Assim se evita o desperdício de investir tempo, energia e orçamento em ações sem saber se vão funcionar ou se são relevantes.

Essa estratégia pode ser experimentada até como estrutura e modelo administrativo. Na década de 1950, depois da Segunda Guerra Mundial, os japoneses criaram linhas de produção mais enxutas para se adaptar à escassez da época: reduziram desperdícios, cortaram etapas que não eram essenciais, eliminaram os grandes estoques. Nascia o *lean manufacturing*. Não demorou muito para que esse modelo mais enxuto chegasse a outros segmentos, inclusive como metodologia do desenvolvimento de *startups*, empresas que têm como características a escalabilidade, a repetibilidade e a estabilidade em um cenário de incerteza.

Dentro do ecossistema do empreendedorismo, o *lean startup* ganhou voz e eco pelo mundo por obra do empreendedor e mentor americano Eric Ries, que escreveu em 2011 um livro explicando o conceito. A metodologia é bem parecida com a praticada pelos japoneses, mas voltada à criação de novos produtos e serviços: focada no desenvolvimento do chamado *minimum viable product* (MVP), ou produto mínimo viável. Com isso, seria possível testar a aceitação de um produto com seus usuários e aperfeiçoá-lo conforme os resultados obtidos, reduzindo os ciclos de desenvolvimento e os custos.

Não se convenceu que dá certo? É só lembrar o início do Facebook. Mark Zuckerberg entrou em contato com o conceito de rede social em janeiro e lançou uma primeira versão do site em fevereiro. Em um mês, desenvolveu um modelo básico para verificar o que os alunos de Harvard (universidade à qual o alcance do Facebook se restringia então) achavam. Com a resposta positiva dos primeiros usuários, ele foi aprimorando a plataforma, que hoje é um fenômeno social e ultrapassa mais de 2 bilhões de usuários no mundo.

O modelo *lean* também é uma ótima saída para o processo de execução das ações de marketing. Em vez de arriscar e gastar toda a verba destinada a um anúncio de uma só vez, em alguns formatos (sobretudo nos digitais) é possível realizar um acompanhamento das ações e avaliar seus primeiros resultados. Se a campanha vai bem, aumenta-se a verba. De forma eficiente, muitos adotam o método de teste a/b, no qual comparam-se determinados elementos (como imagem, chamada, cores, posicionamento de elementos) em várias peças diferentes para um público controlado. O investimento completo é feito com aquele que tiver a melhor percentagem de aprovação ou conversão.

A adoção dessa estrutura está longe de ser a única solução dentro do marketing. Existem dezenas de outras formas eficientes de destacar produtos e serviços, algumas mais caras, outras nem tanto. É possível adotar a propaganda, as relações públicas, a assessoria de imprensa, a venda pessoal, o marketing direto, a promoção de vendas, os eventos e muitas outras formas que compõem o tradicional mix de marketing ou que ainda estão fora dele. Em *La casa de papel*, uma ação que ficou bem visível e exigiu um alto investimento foi realizada pela cerveja espanhola Estrella Galicia.

Uma cerveja, por favor

Salva e Raquel se encontraram pela primeira vez por acaso em um bar. Raquel estava sem bateria no celular e, estrategicamente, o mandante do assalto ofereceu o seu para ela fazer uma ligação. Nesse momento, no adesivo do porta-guardanapos aparece de forma bem visível a marca da cerveja. Em outra passagem, ainda no bar, é possível ver a mesma marca em um quadro na parede.

Em um *flashback* mostra-se uma das confraternizações dos assaltantes, ainda antes da invasão à casa da moeda espanhola, com o clima de felicidade e descontração que acontecia na mansão. Todos contavam detalhes do que fariam com a sua parte caso o assalto desse certo. Entre os sonhos de comprar ilhas, boates de três andares, aviões, gravar um disco e ter uma vinícola na Provença, as cervejas da marca são consumidas aos borbotões pelos assaltantes, como prova uma mesa cheia de garrafas espalhadas e o logotipo bem à vista.

Se você assistiu a *La casa de papel* de uma forma mais atenta, percebeu que a cerveja espanhola Estrella Galicia está presente em diversos episódios. E não apenas no bar que o Professor e Raquel frequentavam ou no brinde dos assaltantes. Ela está em *outdoors* e até nos caminhões que são retratados no trânsito.

SPOILER!

Lembra-se, na última cena da segunda parte, do veículo utilizado na fuga? É um caminhão da Estrella Galicia!

Se os personagens possuem um apreço pela cerveja, isso de fato eu não sei, mas que se trata de uma boa estratégia de marketing, isso é indiscutível. Para a Estrella Galicia, esse artifício não é nem novidade, já que a marca também foi incluída em outras séries, como a norte-americana *Era uma vez*. Isso faz parte da estratégia de internacionalização da marca, que está sendo exportada para outros países.

No Brasil, se você já assistiu a alguma novela, deve ter visto dezenas de produtos e serviços sendo usados pelos personagens. O *merchandising* é uma estratégia muito comum, utilizada de forma sutil para destacar produtos ou elementos publicitários durante as cenas. A ideia é fazer com que algum personagem use algum produto da marca, mas de forma tão natural que o espectador acalente uma boa percepção desse uso. Acredita-se que a publicidade desse tipo, além de mais aceita por ser menos brusca do que uma propaganda convencional, sensibiliza o subconsciente das pessoas sobre o produto ou serviço retratado, influenciando, assim, os seus hábitos de consumo. Mas utilizar o *merchandising* como estratégia de marketing não é para qualquer negócio, pois demanda um alto investimento, que nem todas as empresas têm condição de encarar. Ele é bem diferente do próximo tipo de marketing de que vamos falar: o marketing de guerrilha.

VAMOS PARA A GUERRA!

De acordo com o dicionário Aurélio, guerrilha significa "luta armada travada por grupos constituídos irregularmente, e que não obedece às normas das convenções internacionais". Você provavelmente deve associar essa palavra à Guerra do Vietnã, a Che Guevara e Fidel Castro, aos conflitos no Oriente Médio ou até mesmo aos assaltantes de *La casa de papel*, que se intitulam "a resistência". No mundo dos negócios, o estudioso norte-americano Jay Conrad Levinson conseguiu vislumbrar, em 1984, semelhanças entre as guerrilhas e as ações empresariais, definindo o conceito de marketing de guerrilha.

Segundo Levinson, trata-se de uma estratégia que busca atingir as metas convencionais, tais como lucro, via métodos não convencionais, como investir energia em vez de dinheiro. O termo sofreu mutações importantes nos últimos trinta anos, e agora, mais aperfeiçoado, define estratégias interessantes de algumas empresas e até de multinacionais.

A utilização desse artifício pode mostrar que, realmente, criatividade, planejamento prévio, poucos recursos e pitadas de ousadia para surpreender podem transformar ações simples em algo muito mais eficiente do que as ações complexas. Entre as principais formas de utilizar o marketing de guerrilha estão:

- **Intervenção urbana:** utilização de *elementos de rua* – postes, faixas e calçadas – como armas da propaganda.
- **Corpo a corpo:** atores e modelos abordam ou se aproximam do público, promovendo a interação com a marca.
- **Viral:** vídeos engraçados e curiosos se espalham por sites e redes. A contaminação é rápida e pode repercutir durante dias ou semanas.
- **Marketing invisível:** a empresa está por trás de pessoas contratadas para opinar positivamente sobre produtos ou serviços. O público não sabe que se trata de publicidade. Se descoberto, normalmente esse tipo de ação é criticado.

Exemplos de empresas que já adotaram táticas do marketing de guerrilha não faltam. Muitas gostam de utilizar as paradas de ônibus em estratégias de intervenção urbana, já que diversas pessoas passam em frente ou algum tempo nesses pontos. Certa vez, a AmBev colocou balizas de futebol nas paradas de ônibus para promover o Guaraná Antárctica com o pretexto de ser época de Copa do Mundo. Em uma ação de intervenção da rede de academias Fitness First, o banco do ponto de ônibus virou uma balança que media o peso quando alguém se sentava. Já a Nivea colocou uma espécie de refrigerador de ar escondido em um pacote tamanho gigante do produto Nycil, para replicar o efeito de frescor do produto na pele.

Depois de tentar melhorar a segurança em trens e metrôs na Austrália de diferentes maneiras, a Metro Trains criou um vídeo chamado *Dumb ways to die*. Em vez de alertar sobre os quesitos de segurança, o vídeo apresentava formas estúpidas de se morrer na malha ferroviária e fora dela. O alcance conquistado pelo vídeo nas mídias sociais superou qualquer expectativa e se transformou em um viral. Só no YouTube foram mais de 165 milhões de visualizações. O vídeo ganhou diversas paródias, inclusive uma sobre o Rio de Janeiro e outra sobre Belo Horizonte. A campanha conseguiu seu objetivo: contribuiu para uma redução de mais de 30% dos acidentes e, de quebra, tornou-se o *case* mais premiado da história do festival Cannes Lions. Até a Sony já apostou na guerrilha "invisível" para divulgar o celular com câmera T68i. A empresa contratou atores para interpretar casais e os mandou a pontos turísticos para promover seu novo aparelho ao público sem revelar que se tratava de uma propaganda.

E OS BENEFÍCIOS?

Até agora vimos várias estratégias, mas, na prática, isso pouco importa se o consumidor não enxerga valor no produto ou serviço. E a forma como cada cliente percebe o valor é diferente, já que cada pessoa pode ser atraída por diferentes motivações ou benefícios. Como já mencionamos no capítulo sobre vendas, há três tipos de benefícios: funcional, emocional e de autoexpressão.

O benefício funcional está ligado ao desempenho da função de um produto e serviço e, na maioria das vezes, é ressaltado por seus diferenciais técnicos em relação aos dos concorrentes. Um celular que oferece uma câmera com qualidade superior a outras do mercado ou uma impressora que promete imprimir mais rápido são exemplos de benefícios funcionais perceptíveis e comparáveis. E é até esse momento que a maior parte das estratégias de marketing param em suas campanhas.

Entretanto, há um fator que torna a aposta no benefício funcional ser um problema: quando a "qualidade superior" atual pode ser copiada ou superada pelo concorrente a um preço menor. Ou seja, outra marca pode lançar um celular com uma câmera ainda melhor, assim como uma impressora mais rápida (ou tão rápida quanto), mas com custos mais baixos. O oceano azul da vantagem competitiva do benefício funcional pode desaparecer da noite para o dia.

Há também outra barreira quando as pessoas escolhem pela marca e não por atributos técnicos. Entre um *smartphone xing-ling* com a melhor câmera do mundo e um iPhone, qual você escolheria?

Os benefícios emocionais vão além das questões funcionais, pois envolvem percepções dos consumidores que ultrapassam uma avaliação objetiva. Responda rápido e sem pensar muito: o que a Coca-Cola vende? Ou melhor: como a Coca-Cola vende? Dificilmente você verá alguma propaganda da marca indicando que o seu refrigerante é o mais gostoso, adoçado na medida e com uma quantidade de gás ideal. Então, o que a Coca-Cola vende em suas publicidades e campanhas de marketing milionárias? A ideia de que ao tomar uma Coca você terá uma experiência positiva. Momentos que podem ser compartilhados com amigos e familiares, ou seja, a sensação de ter momentos felizes.

A mesma estratégia funciona no mercado de luxo e de roupas de grife. Fundada na cidade italiana de Nápoles em 1968, a Kiton é uma grife que fabrica ternos de altíssima qualidade, que podem custar entre 5 mil e 12 mil dólares. Mesmo sabendo racionalmente que um tecido ou um tipo de acabamento diferenciado não justifica um valor tão alto, os consumidores pagam por outros benefícios atrelados: a sensação de poder, realização e sucesso, que pode afetar inclusive o comportamento da pessoa, deixando-a mais confiante ao usar o terno em uma apresentação, por exemplo. Esses são os benefícios emocionais que fazem com que marcas de luxo tenham sempre compradores e grandes marcas consigam clientes fiéis e evangelizadores.

A Disney não vende o ingresso do parque de diversões, mas, sim, a ida a um mundo mágico onde você encontrará todos os personagens que fizeram parte da sua infância ou que fazem parte da infância de seus filhos.

A Harley Davidson não vende motos, mas um estilo de vida, a sensação de liberdade e de estrada livre. Desde 1903 ela segue o *slogan* "*All for freedom, freedom for all*" ("Tudo pela liberdade, liberdade para todos").

A Volvo não vende caminhões, mas conforto e segurança para os motoristas. A Natura não fala de cosméticos em sua comunicação, mas, sim, do bem-estar que a pessoa terá, mostrando ainda uma preocupação com o futuro do meio ambiente. E a Apple? Será que vende tecnologia ou benefícios emocionais atrelados ao *status* social e ao poder? Não apenas isso: nas raras vezes em que a Apple realiza anúncios publicitários, coloca a tecnologia sempre em um papel secundário, priorizando a vida e os valores familiares. Dessa forma, não estamos comprando um novo *gadget*, mas algo que vai nos aproximar das pessoas que amamos.

Poderíamos relacionar vários outros exemplos, mas acredito que você já entendeu. As pessoas pagam – muitas vezes bem mais caro – por essas experiências e propostas de valor que fazem sentido para elas. Naturalmente, pode-se vender muito pelo benefício funcional, mas, sem dúvida, é possível também fidelizar e ganhar clientes recorrentes ao se atingir o benefício emocional. E aí está um segredo: primeiro, valor; depois, aspectos técnicos, preço e informações adicionais. Portanto, em vez de roupas, ofereça uma aparência bonita e atraente; em vez de uma casa, ofereça segurança, comodidade e um lugar para ser feliz; em vez de passagens, mostre o prazer de conhecer novos lugares. A grande dica é identificar a essência do negócio, o benefício emocional que ele oferece, para evitar a guerra sangrenta da concorrência pelo preço.

Isso nos leva ao terceiro benefício: de autoexpressão. Esse conceito engloba produtos e serviços que adquirimos para mostrar a outras pessoas – ou a nós mesmos – que estamos inseridos dentro de um ambiente específico. Se quero ser percebido, por exemplo, como esportista ou alguém preocupado com a saúde, inconscientemente procuro marcas (de roupas, restaurantes etc.) que passem essa mensagem. As marcas que conseguem imprimir essa simbologia a seus expedientes de marketing ganham o público que consome influenciado por essa concepção. Assim, Nike e Adidas são as marcas preferidas dos esportistas; pessoas tidas como "descoladas" possivelmente têm um cartão do Nubank, óculos da Chilli Beans ou um iPhone; usar relógios de marcas como Rolex ou Panerai Luminor são preferidas por consumidores de perfil mais tradicional.

A proposta de valor e a definição desses benefícios podem definir por que um cliente compra um determinado produto e não o dos seus concorrentes. A verdade é que o seu marketing vai ser mais assertivo se você entender o que realmente gera valor para o cliente. Pessoas compram por motivos que não são necessariamente os mesmos expostos pela marca. Para entender as motivações é necessário conhecer o público e os perfis de consumidores.

ANTES DAS ESTRATÉGIAS, OS PERFIS

Existem perfis diferentes de consumidores. Não se trata de qualificar o cliente como chato, legal, arrogante ou simpático, pois um produto pode ser vendido para qualquer um deles caso gere valor. O importante é verificarmos os estágios de clientes – independentemente dos seus estados comportamentais – que vão abrir a carteira para você.

Falemos primeiro sobre o cliente que não vai abrir a carteira, pois ele é o mais simples de entender: trata-se do cliente que não vai comprar o produto porque não está interessado, porque aquilo que lhe é oferecido não possui utilidade para ele, independentemente do marketing envolvido (por mais fantástico que seja). Você não conseguirá vender, por exemplo, casacos de pele sob um calor de 40 graus na praia de Copacabana, um *jet ski* para quem mora no deserto ou um curso de moda feminina para um homem das cavernas. Esses clientes têm outros interesses, podem até se tornar compradores um dia, mas naquele momento, definitivamente, não.

E por que estou falando isso? Porque muita gente – e muitas empresas – insiste em fazer marketing para todo mundo. Assim, gastam-se alguns milhões de reais – ou tempo e esforço sobrenaturais – em publicidades e campanhas que não dão retorno. Por isso, focar nos outros três perfis de consumidores pode ser mais efetivo.

1. Cliente dos sonhos

Este é o melhor cliente de todos, o preferido dos vendedores e das ações de marketing de nicho. É o cliente que já o conhece, sabe que precisa do seu produto ou serviço e compra quando vê a sua oferta. Ah, se todos os clientes fossem assim… A vida dos profissionais de venda e de marketing seria tão simples! Mas não é, e esse perfil na verdade representa apenas a pontinha do iceberg do público. Para esse tipo de consumidor – que sabe que precisa do produto e quer comprar –, continue com suas estratégias normalmente, afinal, você precisa deles.

2. Cliente escorregadio

Pelo nome você já deve reconhecer. É aquele que adia a compra, deixa sempre para depois e acaba não adquirindo no final. Escorregadio por completo. Às vezes você entra em uma negociação e pensa: "agora vai", e o cliente empurra para o próximo mês (claro que no próximo mês ele nem atende o telefone). A verdade é que ele não está convencido por completo ou não vê o que você oferece como prioridade. Para segurar esse cliente, ou impactá-lo de verdade, aconselho continuar a leitura do texto.

3. Cliente desavisado

Esse tipo de cliente, dependendo do que você vende, corresponde à sua maior fatia de mercado. É aquele que não o conhece nem sabe o que você vende, e ao ver um anúncio do seu produto/serviço passará direto porque ainda desconhece o potencial que ele pode gerar na sua vida. Mas se o consumidor não imagina que precisa de você, e agora? Como impactá-lo? Aconselho, mais uma vez, a continuar a leitura do texto.

POR QUE AS PESSOAS COMPRAM?

Você já parou para refletir sobre essa pergunta? Abordamos anteriormente os três benefícios principais de convencimento: funcional, emocional e de autoexpressão. Mas, de certa forma, eles são argumentos relevantes quando o cliente já possui alguma predisposição para a compra, o que ajuda uma marca a se diferenciar das concorrentes. Com isso em mente, podemos dividir os grandes motivadores básicos de compra (falamos em "básicos" para não envolver a questão do *branding* aqui) em quatro.

O primeiro é **sanar uma dor**, resolver um problema. Você compra medicamentos porque está doente. Você vai à academia porque deseja emagrecer, ficar sarado, ter qualidade de vida. Você compra uma mala porque precisa de algum compartimento para colocar a bagagem, e assim por diante.

O segundo motivador é **ganhar tempo/produtividade**. Boa parte dos serviços e produtos que compramos nos ajuda a perder menos tempo. A compra de uma calculadora, um aspirador de pó, um forno de micro-ondas, um *software* de CRM, um programa de automação de postagens, enfim, as pessoas compram muita coisa e contratam muitos serviços para economizar tempo, ganhar em produtividade e, em diversos casos, aumentar sua receita ou margem de lucro.

Já o terceiro motivador de compra está atrelado à **transformação ou satisfação pessoal**. Fazer um curso ou um MBA que dará mais capacidade profissional e comprar uma casa em um bairro melhor da cidade são exemplos de compras ligadas a essa transformação.

E o quarto motivador está relacionado ao **prazer ou à satisfação**. Compramos sorvete, vamos ao cinema e ficamos duas horas imersos em uma sala, a cerveja no *happy hour* não pode faltar... Gastamos muito com futilidades ou produtos e serviços que nos proporcionam esse prazer – mesmo que momentâneo.

Então, se temos como fatores motivadores de compra "sanar uma dor", "ganhar tempo", "ser transformado" ou "ter prazer/satisfação" e a maioria dos nossos clientes não sabe que precisa, mas quer (desavisados) ou até sabe que precisa, mas isso ainda não é uma prioridade (escorregadios), precisamos criar um relacionamento com eles para entender as suas motivações e assim indicar os benefícios que o produto ou serviço pode gerar a eles.

Relacionamento? Exatamente! Boa parte das ações de marketing e vendas ainda não se preocupa com esse ponto. Visam apenas àquela primeira ponta do iceberg (os clientes dos sonhos). A partir do momento em que geramos um relacionamento, passamos a oferecer conteúdos relevantes, contamos a nossa história (*storytelling*) e criamos um diálogo com o consumidor, a barreira do desconhecido cai. Aquele cliente que "escorrega pela ponta dos dedos" começa a detectar mais valor em seu produto e o adquire; aquele outro que não sabia que precisava do seu serviço ou produto, quando passa a ser impactado por essa relação, destrava e abre a carteira.

SPOILER!

Dificilmente alguém torce por um bandido, mas você se lembra de qual foi a estratégia usada pelos assaltantes para ganhar a opinião pública em *La casa de papel*? Começaram a dar provas para a imprensa de que não eram maus. Primeiro quando Mónica Gaztambide foi para a frente da Fábrica Nacional de Moneda y Timbre ler a carta indicando que todos os reféns estavam bem e, depois, ao oferecerem alimentação e remédios para todos dentro da casa da moeda. Ainda mostraram em vídeo que os 67 reféns estavam vivos e sem ferimentos, e, como chave de ouro, Berlim fez sua encenação ao vivo, mostrando que o roubo era um ato de sobrevivência dentro de um mundo difícil. Os intervalos entre cada demonstração pública de benevolência com os reféns foram estratégicos para gerar relacionamento com a população e fazer com que parte do público passasse a torcer pelos sequestradores.

DE OLHO NAS TENDÊNCIAS

Além das ações e das motivações que as marcas devem observar para que o marketing valha a pena, é necessário ficar de olho em algumas tendências. O bom atendimento é uma que não sai de moda. Ninguém vai acordar daqui a dez anos e desejar que o atendimento seja pior. Ter uma marca autêntica é outro ponto, mas hoje já se nota a construção de uma relação mais pessoal das empresas com seus consumidores. Isso está ligado à própria estratégia de comunicação: no lugar de ligações extremamente engessadas e robóticas, por exemplo, hoje busca-se gerar um cenário de mais proximidade, inclusive, por meio de aplicativos de mensagens como o WhatsApp.

Mobilidade também deixou de ser uma tendência para virar regra. Conforme a velocidade da banda larga aumenta, mais pessoas têm acesso a planos de dados melhores para navegar na internet. Com isso, boa parte dos consumidores interage por algum canal digital, principalmente em dispositivos móveis, seja por meio de sites, em redes sociais ou aplicativos específicos. Então, dentro da criação de um aplicativo ou no desenvolvimento de um site corporativo, é simplesmente indispensável que se leve em consideração o formato *mobile*, adaptado para o celular, com o desenvolvimento de *designs* responsivos (adaptados a qualquer tipo de tela).

O viés do *mobile* acompanha outras tendências: o consumo de conteúdos multimídias, principalmente vídeos, e de serviços que sejam mais integrados e flexíveis. Os contratos longos estão dando lugar a opções mais democráticas ao consumidor, e este tem se mostrado um modelo de negócios bem-sucedido. Basta observar como ocorre a contratação de serviços como Netflix e Spotify, que, além de simples, não inclui fidelização (é possível assinar por um mês e deixar de ser cliente no próximo).

Dar atenção a todas essas mudanças, testar estratégias e falar a mesma língua dos consumidores são, de fato, formas de ser mais assertivo dentro do marketing.

O QUE APRENDEMOS NESTE CAPÍTULO

Vimos a força do boca a boca como construção de estratégia de marketing e também que essa ação pode colaborar para o surgimento de grandes negócios ou ser a ruína de outros: tudo dependerá da qualidade que o produto ou serviço realmente possui. No capítulo foram vistas ainda outras estratégias de marketing como o *merchandising*, a adoção de ações de guerrilha e o conceito *lean*, que já é usado por algumas marcas para testar a eficácia de campanhas sem que se gaste toda a verba disponível.

Vimos ainda o que incentiva as pessoas a comprar e os aspectos que podem ser expostos pelas marcas para melhorar o convencimento na apresentação do benefício, seja ele funcional, emocional ou de autoexpressão. E, claro, sem esquecer as novas (e antigas) tendências que geram importantes mudanças no consumo e no comportamento das pessoas.

EPÍLOGO

E assim chegamos ao final da nossa jornada de aprendizado com as lições de *La casa de papel*. Ao longo dos sete capítulos que compõem este livro, você adquiriu novos conhecimentos sobre liderança, estratégia, negociação, vendas, inovação, comunicação e marketing. Isso sem contar as diversas referências com as quais dialogamos para tornar o processo de aprendizado mais simples e eficiente. Agora você está pronto para organizar seu próprio "maior assalto da história". Mas espero que prefira usar essas lições para impulsionar sua carreira e gerar iniciativas que, ao mesmo tempo, concretizem seus sonhos, envolvam os sonhos de outras pessoas e contribuam para a construção de um mundo melhor.

Desejo que você tenha aprendido com a genialidade de Sergio Marquina, mas também com a história de Nikola Tesla e Epitácio Pessoa, com o empreendedorismo de Bruce Henderson, a compreensão de Mintzberg sobre as organizações e a visão de Porter sobre os mercados. Ficarei muito feliz em saber que contribuí para colocar ordem nessa salada de frutas e sistematizá-la para que você faça o melhor uso possível dela.

Nos encontramos por aí!

REFERÊNCIAS BIBLIOGRÁFICAS

BROOKS, A. W.; SCHWEITZER, M. E. *Can nervous Nelly negotiate? How anxiety causes negotiators to make low first offers, exit early, and earn less profit.* 2011. Disponível em: <http://opim.wharton.upenn.edu/DPlab/papers/publishedPapers/Wood_2011_Can%20Nervous%20Nelly%20Negotiate.pdf >. Acesso em: mar. 2018.

CIALDINI, R. B. *As armas da persuasão: como influenciar e não se deixar influenciar.* Rio de Janeiro: Sextante, 2012.

CLARKE, A. J. *Tupperware: the promise of plastic in 1950s.* Washington, D.C.: Smithsonian Inst. Press, 2001.Parte inferior do formulário

DOWNEY, L. *Levi Strauss: the man who gave blue jeans to the world.* Boston, M.A.: University of Massachusetts Press, 2016.

EL PAÍS. *Por que 'La Casa de Papel' foi um inesperado sucesso internacional.* Disponível em: <https://brasil.elpais.com/brasil/2018/03/26/cultura/1522083264_215034.html>. Acesso em: maio 2018.

ER-HU. *O Tao da guerra.* São Paulo: Saraiva, 2010.

FACEBOOK RESEARCH. *Three and a half degrees of separation.* 2016. Disponível em: <https://research.fb.com/three-and-a-half-degrees-of-separation/>. Acesso em: mar. 2018.

FREIBERG, J. *Nuts! As soluções criativas da Southwest Airlines para o sucesso pessoal.* São Paulo: Manole, 2000.

GIRARD, J. *Como vender qualquer coisa a qualquer um.* Rio de Janeiro: Best Seller, 2007.

HISIEH, T. *Satisfação garantida.* Rio de Janeiro: Thomas Nelson Brasil, 2010.

LEVINSON, J. C. *Marketing de guerrilha.* Rio de Janeiro: Best Seller, 2010.

LISTVERSE. *10 bizarre facts about Salvador Dali.* 2014. Disponível em: <http://listverse.com/2014/03/28/10-bizarre-facts-about-salvador-dali/>. Acesso em: mar. 2018.

MANUAL DA STARTUP. *Do zero a milhões de usuários – as lições de marketing da Dropbox.* Disponível em: <http://www.manualdastartup.com.br/blog/do-zero-a-milhoes-de-usuarios-as-licoes-de-marketing-da-dropbox/>. Acesso em: mar. 2018.

MATELLART, A.; MATELLART, M. *História das teorias da comunicação*. 16. ed. Rio de Janeiro: Loyola, 1998.

MINTZBERG, H. *Managing essencial*. Bookman, 2015.

MOLINARO, V. *Liderança é um contrato*. São Paulo: Primavera Editorial, 2016.

NIELSEN. *Global trust in advertising*. 2015. Disponível em: <http://www.nielsen.com/eu/en/insights/reports/2015/global-trust-in-advertising-2015.html>. Acesso em: mar. 2018.

O GLOBO. "O mundo está passando pela revolução da negociação", diz especialista. 2015. Disponível em: <https://oglobo.globo.com/sociedade/o-mundo-esta-passando-pela-revolucao-da-negociacao-diz-especialista-16264180#ixzz5JFObjLBB>. Acesso em: mar. 2018.

PBS TELEVISION. *American Experience: Tesla*. Disponível em: <www.netflix.com>. Acesso em: mar. 2018.

PORTER, M. *A vantagem competitiva das nações*. Rio de Janeiro: Campus, 1992.

_____. *Estratégia competitiva*. Rio de Janeiro: Campus, 1989.

RIES, E. *Lean Startup*. Rio de Janeiro: Leya, 2012.

SCHULTZ, H. *Em frente! Como a Starbucks lutou por sua vida sem perder a alma*. Rio de Janeiro: Campus, 2011.

SHAFER, J. *Manual de persuasão do FBI*. São Paulo: Universo dos Livros, 2015.

SUN-TZU. *A arte da guerra*. São Paulo: Jardim dos Livros, 2012.

THE DRIVE. *Harley-Davidson's new campaign spotlights freedom by motorcycle*. 2017. Disponível em: <http://www.thedrive.com/watch-this/13581/harley-davidsons-new-campaign-spotlights-freedom-by-motorcycl>. Acesso em: mar. 2018.

THE PLAYOFFS. *Veja quais são as faltas e as punições mais comuns na NFL*. 2018. Disponível em: <http://www.theplayoffs.com.br/blog/blog-nfl/entenda-o-jogo-veja-quais-sao-as-faltas-e-as-punicoes-mais-comuns-na-nfl/>. Acesso em: mar. 2018.

VALOR ECONÔMICO. *Mais de 70% das empresas brasileiras sentem dificuldade para contratar*. Disponível em: < http://www.valor.com.br/carreira/2681758/mais-de-70-das-empresas-brasileiras-sentem-dificuldade-para-contratar>. Acesso em: maio 2018.

VASCONCELOS, L. B. M. *Pensando a vertente americanista da política externa brasileira de 1917 a 1922: a atuação de Epitácio Pessoa*. João Pessoa: Universidade Federal da Paraíba, 2018.

Sites
3M. Disponível em: <www.3minovacao.com.br>. Acesso em: mar. 2018.
BCG HENDERSON INSTITUTE. Disponível em: <https://www.bcg.com/pt-br/bcg-henderson-institute/default.aspx>. Acesso em: mar. 2018.
FUTURO LABS. Disponível em: <www.futurolabs.com>. Acesso em: mar. 2018.
GLOBAL ENTREPRENEURSHIP MONITOR – GEM. Disponível em: <www.gemconsortium.org>. Acesso em: mar. 2018.
JOE GIRARD. Disponível em: <https://www.joegirard.com/biography/>. Acesso em: mar. 2018.
LEADERSHIP LEGACY PROGRAM. Disponível em: <http://www.ila-net.org/LeadershipLegacy/Ralph_Stogdill.html>. Acesso em: mar. 2018.
ORGANIZAÇÃO MUNDIAL DA SAÚDE – OMS. Disponível em: <https://nacoesunidas.org/depressao-afeta-mais-de-300-milhoes-de-pessoas-e-e-doenca-que-mais-incapacita-pacientes-diz-oms/>. Acesso em: mar. 2018.
PANEL STUDY OF INCOME DYNAMICS (PSID). Disponível em: <https://www.src.isr.umich.edu/projects/panel-study-of-income-dynamics-psid/>. Acesso em: mar. 2018.
PORTAL SEBRAE. Disponível em: <www.sebrae.com.br>. Acesso em: mar. 2018.